colección **biografías y documentos**

Nazis en el Sur

CARLOS DE NÁPOLI

Nazis en el Sur

*La expansión alemana
sobre el Cono Sur y la Antártida*

GRUPO
EDITORIAL
norma

Buenos Aires, Bogotá, Barcelona, Caracas, Guatemala,
Lima, México, Miami, Panamá, Quito, San José, San Juan,
Santiago de Chile, Santo Domingo

www.norma.com

De Nápoli, Carlos
  Nazis en el sur - 1a ed. - Buenos Aires :
  Grupo Editorial Norma, 2005.
  v. 1, 280 p. ; 21x14 cm. (Biografías y documentos)

  ISBN 987-545-352-8

  1. América del Sur-Historia. I. Título
  CDD 980

Colaboración en la investigación y
traducción de documentos: Pablo Fontana

Impreso en la Argentina
Printed in Argentina

Primera edición: noviembre de 2005

CC: 20745
ISBN: 987-545-352-8

ÍNDICE

Introducción

Lebensraum, el espacio vital

A principios de 1939 cientos de dardos metálicos con esvásticas eran lanzados desde aviones alemanes sobre el hielo antártico mientras la bandera nazi se izaba en otros puntos del continente. De esta forma comenzaba el plan del Tercer Reich para apoderarse de la Antártida, y su *Lebensraum*, o espacio vital, dejaba de significar "los ricos campos del Este" en la Unión Soviética, para transformarse en un "Nuevo Orden" mundial, una ilimitada expansión que llevaría la guerra incluso a los confines australes. Este carácter global puede apreciarse en las numerosas expediciones nazis hacia diversas regiones del planeta realizadas paralelamente a la expedición antártica.

Ya en 1936 el nazismo había dado el primer paso en su conquista del espacio vital con la ocupación de la zona desmilitarizada de Renania, rica en hierro y carbón, base para la producción de petróleo sintético y piedra angular de la reconstrucción industrial alemana, y su posterior despliegue bélico. Esta región, conocida como cuenca del

Ruhr, había sido cedida a Francia tras la derrota alemana en la Primera Guerra Mundial, por lo cual era al mismo tiempo un importante enclave político. El segundo paso fue el *Anschluß*, es decir la anexión de Austria en marzo de 1938. Ese mismo año, durante la Conferencia de Munich, las potencias occidentales entregaron la región de los Sudetes al Estado alemán en un intento por saciar a la bestia expansionista, pero, al consentir su sed de territorios, no hacían más que incentivar los sueños imperiales del Reich, que en marzo de 1939 anexaría el territorio de Memel en Lituania, y crearía el "Protectorado" de Bohemia y Moravia sobre la mitad occidental de Checoslovaquia. El siguiente paso consistiría en la ocupación del corredor de Danzig, invasión que no era sino una excusa para conquistar Polonia y dar comienzo a la "guerra total".

Para comprender el expansionismo del Tercer Reich deben considerarse, entre otros factores, la estructura del régimen y sus tensiones internas. Quienes intentaron desentrañar los engranajes del régimen desarrollaron dos grandes corrientes historiográficas: la "intencionalista" y la "funcionalista", también denominada estructuralista. Estas corrientes fueron formuladas en los años sesenta como superación de la teoría del *Sonderweg* o "Camino Especial" que había dominado el panorama teórico durante los años cincuenta. Esta tesis, que poco o nada lograba explicar, sostenía que desde Bismarck hasta la caída del nazismo la historia de Alemania había seguido un recorrido singular, diferente del resto de los países europeos. De esta forma el nazismo era presentado como un fenómeno anormal que difícilmente podría repetirse.

El intencionalismo centra su análisis en la persona del líder absoluto y su voluntad sistemática de materializar el programa político pergeñado desde antes de tomar el poder. Opuesta a esa hipótesis personalista, la perspectiva funcionalista afirmaba la naturaleza caótica y policrática del régimen, por lo cual acotaba la centralidad del *Führer*. La corriente intencionalista fue fácilmente digerida y aceptada por el público, tal vez por su argumentación reductiva, monocausal, que explica el desarrollo del nacionalsocialismo por la psicología patológica de su líder.[1]

Ha llegado a afirmar que el pueblo alemán fue seducido y posteriormente manejado a voluntad por Adolf Hitler porque unos y otro compartían las mismas características patológicas. No dejan de resultar interesantes algunos trabajos de esta perspectiva cuando acentúan que Hitler era portavoz de un programa claro desde antes de la toma del poder, plataforma que sirvió de guía para la política del régimen y que el caudillo transmitió con habilidad y sencillez en tiempos de una crisis profunda de la historia de Alemania.[2] La debilidad de la

---

[1] Por caso, explica su antisemitismo por la oculta ascendencia judía de su abuelo, y para justificar su belicismo apela al autoritarismo del padre o a un posible complejo de Edipo mal resuelto.

[2] Esos trabajos pertenecen a historiadores de prestigio como Karl Bracher, *La dictadura alemana. Génesis, estructura y consecuencias del nacionalsocialismo*, Madrid, Alianza, 1973; Klaus Hildebrand, *El Tercer Reich*, Oldenbourg Verlag, 2003 y Eberhard Jäckel, *Hitler idéologue*, París, Gallimard, 1973.

teoría consiste en que reduce el análisis a una relación mecánica entre las intenciones de Hitler y el desarrollo político, sin considerar las relaciones entre las distintas esferas de poder, subestimando del mismo modo la base económica del sistema político. A pesar de todo, las hipótesis del intencionalismo mantuvieron su vigencia ya que demostraron ser convincentes en la explicación de la guerra y, especialmente del genocidio, terrenos en los que los argumentos del estructuralismo son más débiles. En síntesis, el intencionalismo afirma que Hitler manejaba a voluntad los hilos del poder, por lo cual se le debe atribuir al *Führer* la responsabilidad última de los actos cometidos por el nazismo.[3]

La perspectiva estructuralista estudia en cambio la complejidad, la estructura multifacética de la policracia nazi. El origen de esta corriente interpretativa puede rastrearse hasta *Behemoth*, de Franz Neumann, ensayo publicado en plena guerra.[4] El escrito intenta desmantelar

3 Patricio Geli, "El debate historiográfico en torno al 'factor Hitler' entre los '60 y los '90", en María Victoria Grillo, *Tradicionalismo y fascismo europeo*, Buenos Aires, Eudeba, 1999.

4 Neumann pertenecía a la prestigiosa Escuela de Frankfurt. Perseguido por el nazismo se exilió en los Estados Unidos, donde se dedicó a contribuir a la propaganda de guerra aliada. Behemoth, que representa el caos, es el más poderoso de los monstruos bíblicos junto a su contrincante Leviatán, que representa el orden y cuyo nombre fue elegido por el célebre pensador Tomas Hobbes como título de la obra en la que analiza al Estado absolutista. El *Behemoth* de Neumann fue publicado en Toronto en 1942 y puede leerse en castellano en ediciones del Fondo de Cultura Económica.

hasta la parodia el montaje escenográfico de orden jerárquico y riguroso del Tercer Reich, que enarbolaba al *Führer* en la cúspide. Detrás de esta fachada monolítica, según Neumann, se desató una lucha encarnizada por el poder entre cuatro estados dentro del Estado, guerra asordinada que derivó en el caos del régimen: disputaban el poder el complejo industrial, las Fuerzas Armadas, el partido nazi –especialmente a través de la autonomía relativa de los *Gauleiters*, especie de gobernadores del régimen– y la burocracia. La amalgama que mantendrá unidos a estos elementos en tensión será el carisma del dictador, la propaganda antisemita y el esfuerzo bélico común. Uno de los primeros estructuralistas en retomar la senda de Neumann fue Martin Broszat, quien sostiene que el caos reinante en la cúpula del Partido Nacional Socialista del Obrero Alemán –el NSDAP en alemán, más comúnmente conocido como partido nazi–, se trasladó al Estado una vez que se alzó en el poder y se incrustó en la burocracia estatal.[5] Las segmentaciones regionales heredadas de una unificación nacional tardía y los cuerpos especiales del partido se habrían superpuesto al compartimentado Estado burocrático prusiano, aumentando la fragmentación del poder. El poliencefálico monstruo burocrático que dicha

---

5 Hans Mommsen, "Nacional Socialism: Continuity and Change", en Walter Laqueur *Fascism, a Reader's Guide*, Harmondsworth, Penguin, 1976.

fusión generó disminuyó proporcionalmente la autoridad de Hitler, situación que se agravó tras el inicio de la guerra y la dedicación del *Führer* a su pésimo papel de estratega. Para Broszat, el dictador perdió progresivamente el poder sobre la hidra que había ayudado a crear, de modo tal que no le quedó otra alternativa que administrar y terminar aprobando los heterogéneos deseos de la criatura.

La perspectiva estructuralista permite esbozar una explicación de los hechos desencadenados en 1939. Hitler habría mediado entre los grupos de poder y la creciente tensión provocada por la crisis económica y el agudizamiento de la lucha de clases. Logró apaciguar el conflicto al enfocar la ofensiva en un tercer grupo, los judíos, además de que encontró, rearme mediante, una salida a la crisis económica a través de un modelo alternativo al *New Deal* de Roosevelt. Pero ese estado de cosas no podía sostenerse indefinidamente ya que el tercer grupo terminó desposeído, al tiempo que el rearme no otorgaba ganancias. Era necesario seguir conteniendo la tensión intrínseca del régimen policrático, por lo cual se optó por una fuga: se optó por la guerra.

En ese nuevo contexto las SS consolidaron su poder en desmedro de los militares y el capital financiero, pues su forma de reproducción estaba íntimamente ligada a la expansión territorial y la consiguiente creación de campos de concentración y departamentos administrativos bajo su control: hacia su estructura se desviaron los ingentes recursos económicos y estratégicos que demandó la "solución final".[6] De acuerdo con los funcionalistas puede sostenerse, además, que fue posible llevar adelante el esfuerzo bélico porque otro sector, los grandes empresarios, especialmente los dedicados a la industria de la aviación y del armamento apoyados por los militares, dependían de la guerra para consolidar y acrecentar su poder.

Pero más allá de la lógica del régimen, el expansionismo declamado y practicado por el Tercer Reich tiene profundas raíces históricas, económicas e ideológicas.

Su unificación tardía en 1871, al finalizar la guerra contra Francia, determinó que Alemania fuera una potencia continental a la zaga en el reparto del mundo entre las potencias imperialistas industriales. Si bien más de diez millones de alemanes quedaban fuera del nuevo Reich, principalmente en el Imperio austro-húngaro y en las provincias bálticas del imperio ruso, el emperador Guillermo II tenía motivos para ser optimista, ya que la victoria sobre los franceses le otorgaba un saldo positivo de 5.000 millones de francos-oro que Francia debía pagar como compensaciones de guerra.

Asumió entonces como secretario de Estado de la Cancillería el liberal Rudolf Delbrück, personaje que conduciría la economía alemana por el ruinoso camino del ultraliberalismo. Por ley del 4 de diciembre de 1871

---

6 Por ejemplo, el uso de ferrocarriles para el transporte de prisioneros hacia los campos de concentración, cuando eran indispensables para trasladar refuerzos y suministros hacia el tambaleante Frente Oriental, y más allá de los reclamos de la casta militar.

estableció una nueva unidad monetaria en todo el Imperio, el marco. Por ley del 9 de junio de 1873, con la excusa de "globalizar" el comercio internacional, abandonó el patrón plata, hasta entonces imperante, por el patrón oro. Esta medida preconizada por otro liberal, Bamberger, respondía al deseo de las Cámaras de Comercio germanas, pues en un período en que el valor de la plata estaba sometido a importantes fluctuaciones, los medios financieros pretendían una moneda fuerte que rivalizara con la de los países ricos: Inglaterra, Francia, los Estados Unidos.

Las medidas de Delbrück produjeron –luego de la euforia inicial en un contexto de especulación bursátil y cambiaria, y de apertura indiscriminada a la importación–, la destrucción de la poderosa industria alemana. La crisis obligó además al éxodo tanto de obreros especializados como de campesinos. Si bien la mayoría emigró a los Estados Unidos de América, una cantidad no menor de alemanes se convirtió en pionera de la Patagonia.

Tras la destitución de Delbrück, en pocos años la economía alemana volvió a florecer, no sólo por la aplicación de medidas económicas favorables al mercado interno sino por importantes descubrimientos científicos que revolucionarán casi todas las ramas de la industria, como el motor de ciclo Diesel y su par de ciclo Otto, que daría origen a la industria automovilística. Ambos desencadenarían el rápido reemplazo del carbón por petróleo, asunto que resultaría de vital importancia tanto en las marinas mercantes como en las de guerra.

El Segundo Reich conservaba la estructura agraria, casi feudal de la antigua Prusia, pero, al afianzarse el peso de las nuevas fuerzas surgidas de la industrialización, la Alemania de Guillermo II comenzó a soñar con un destino de grandeza, con obtener su merecido "lugar bajo el sol".

Tal fue la línea de conducta seguida y definida por los dirigentes del Reich, de absoluto acuerdo con Guillermo II. Influido por el ejemplo británico –Kipling era uno de sus autores favoritos– y, persuadido de su "misión histórica" y de la del pueblo alemán, el Kaiser se constituyó en partidario convencido de la *Weltpolitik* (política mundial): "El Imperio alemán se ha constituido en un Imperio mundial. Por todas partes, en las regiones más remotas del globo, viven millones de nuestros compatriotas. Los productos alemanes, la ciencia alemana, el espíritu de empresa alemán atraviesan los océanos. Las riquezas que Alemania transporta a través de los mares se cifran en miles de millones. A vosotros os incumbe, señores, el deber de ayudarme a sujetar sólidamente esta gran Alemania a nuestra patria."[7]

Puede apreciarse entonces que las bases para las andanzas germanas en el mundo quedaban sentadas en este discurso pronunciado cuando sólo faltaba un lustro para comenzar el siglo XX. Pero además, y como consecuencia de la derrota en la Primera Guerra Mundial, Alemania

---

[7] Discurso de Guillermo II en ocasión de celebrarse el vigésimo quinto aniversario de la fundación del Imperio.

había perdido el diez por ciento de su territorio y todas sus colonias, mientras que las demás potencias europeas conservaban o expandían su hegemonía. De manera que, si bien esas circunstancias hubieran sido razón suficiente para exacerbar el expansionismo alemán, lo cierto es que la teoría del espacio vital ya databa de principios del siglo XIX. El geógrafo alemán Carl Ritter sostuvo entonces que la conformación geográfica, la vegetación y las condiciones climáticas determinan el destino de los pueblos, el dominio de unos sobre otros. En la segunda mitad del siglo XIX el geógrafo y antropólogo Friederich Ratzel brindaba su propia explicación determinista del espacio geográfico y el rol del Estado, un organismo, en su concepto, que esencialmente tiende a expandir su dominio. El espacio vital no es para Ratzel sino el territorio apropiado para la satisfacción de las necesidades del pueblo que, si el Estado no puede garantizar en su propio suelo, debe buscar extendiéndose hacia otros territorios. Mientras la Unión Soviética sostendría un materialismo histórico *sui generis*, stalinista, alejado de las tesis marxistas, las universidades nazis adoctrinarían a la juventud en un "materialismo geográfico" fuertemente expansionista.[8]

Seguidor de Ratzel fue el sueco pangermanista Rudolf Kjellen, profesor en la Universidad de Gotemburg, quien entendía al Estado como un ser viviente que crecía, se

8 Johann Ulrich Folkers, *Geopolitische Geschichstlehre und Volksersiehung*, Berlín, Kurt Vowinckel, 1939.

desarrollaba y moría. Kjellen profesaba su odio por Inglaterra y compartía una visión ampliada del imperialismo alemán, por lo cual propugnaba una alianza con los germanos y con Finlandia para avanzar sobre Rusia y crear luego la "Gran Escandinavia".

El alemán Adolf Wagner preveía a fines del siglo XIX que los países exportadores de materias primas y alimentos tarde o temprano intentarían desarrollar su propia industria, para lo cual pondrían trabas a la importación de manufacturas extranjeras. Según Wagner, las naciones superpobladas y con escasas materias primas estaban condenadas entonces a morir de hambre, a menos que optaran por la solución bélica para conquistar su necesario espacio vital. El sendero abierto por Wagner fue seguido por los nacionalistas alemanes que planeaban dominar el comercio internacional a través de una poderosa flota, al tiempo que un "Gran Reino" reuniría a todos los europeos de "origen alemán" y se extendería por las colonias alemanas en África, Asia, el sur de Brasil y la Patagonia. Ya desde la caída de Bismarck los alemanes estaban convencidos de que el mundo les estaba vedando el lugar que les correspondía, que les negaba tierras para poblar, fuentes de materias primas y mercados para su industria. Pero el nexo inmediato entre la teoría del espacio vital y los nazis fue el general del ejército alemán Karl Haushofer. Las ideas de este geógrafo, geólogo e historiador ratzeliano ejercieron gran influencia sobre el ejército alemán, ya que ofrecían un pretexto cuasicientífico para justificar su expansionismo. Haushofer, defensor acérrimo de los principios geopolíticos del proyecto nazi, había tomado la teoría del espacio vital de Ratzel –autosuficiencia y autarquía– a la que nutrió con postulados racistas. El 24 de julio de 1921 Hitler conoció a Haushofer y su agresiva e imperialista Teoría del Hábitat, sobre la cual el futuro *Führer* desarrolló su propia fórmula acerca de la necesidad de un espacio vital para el Tercer Reich. En su versión los Estados, como cualquier organismo, mueren si dejan de crecer, y cuando eso ocurre se termina cediendo espacio a las "razas inferiores". Por esta razón Hitler rechazaba la mera expansión económica y llamó a sus ciudadanos a la expansión territorial, para lo cual era necesario montar una poderosa estructura bélica. Haushofer se convirtió en el principal asesor político de Hitler y sus teorías fueron la piedra angular de las aspiraciones nacionalsocialistas. Entre junio y noviembre de 1924 Haushofer lo visitó varias veces en la Fortaleza de Landsberg, donde se encontraba encarcelado por su participación en el *Putsch*, o golpe de Estado fallido de 1924. Fue durante esos encuentros cuando las ideas de Haushofer se plasmaron en la obra de Hitler. En el origen de la necesidad de expansión se encontraba su idea de raza. Le correspondía a la raza aria el deber de continuar su mandato edificador de cultura.

La cerrazón racista se convertiría en filosofía de la historia en la obra de Alfred Rosenberg: la historia es el escenario de las luchas entre razas, concretamente entre los arios, creadores de cultura, y el resto de las razas "inferiores" o "destructoras". Tales ideas expansionistas continuaban ciertamente la *Weltpolitik* –la política mundial–

llevada a cabo por el Segundo Reich, de modo que el nazismo sería, en tal sentido, el eco de una reivindicación común a la inmensa mayoría de los alemanes. Pero la diferencia radicaba en que en su origen el expansionismo no incluía definiciones racistas. Esta ridícula y cerril perspectiva materializada por el Tercer Reich fue responsable de la muerte de diez millones de personas. Ahora bien, el expansionismo alemán en general, y el nazi en particular, siguió la ruta del petróleo. En otras palabras, la búsqueda de petróleo fue, una vez más, sobre todo para el Tercer Reich, la clave de la Segunda Guerra Mundial.

Luego de la invención del motor de vapor y de la subsecuente Revolución Industrial, hacia fines del siglo XIX y comienzos del XX se produciría una nueva evolución de mayor envergadura aún, enraizada fundamentalmente en la invención y difusión de los motores de combustión interna –técnicamente de ciclo Otto y Diesel, o vulgarmente nafteros y gasoleros–. La "revolución del petróleo" asombra no sólo por las claras ventajas que implica el uso de un combustible líquido sobre uno sólido, sino por la rapidez de inserción en el sistema socioeconómico. En menos de diez años se pasó del uso marginal de algunos miles de litros de querosene para iluminación, a millones de litros diarios hacia fines de la Primera Guerra Mundial. La rápida expansión de los automóviles, aviones, barcos y submarinos con motores alimentados con combustibles líquidos provocó el abandono súbito del carbón como fuente carburante. El *trust* carbonero, que durante un par de siglos había movilizado y dominado la economía mundial, perdió pronto toda injerencia política. Presionó para la construcción de naves que utilizaran ese combustible –dando por resultado armadas vetustas en el mismo momento que eran botadas–, pero finalmente sólo el uso intensivo del producto en usinas eléctricas los salvó de la total perdición.

El carbón abundaba en Alemania y Gran Bretaña pero ninguno de los dos países poseía petróleo, situación que provocó impensados cambios políticos mundiales, entre otros, la decadencia sin remedio del Imperio Británico y la consecuente emergencia de los Estados Unidos –que poseía oro negro en abundancia, refinerías y sistemas de comercialización sofisticados–, como potencia dominante. El nuevo contexto planteaba un doble problema a los países centrales europeos. Por un lado, conseguir materias primas –petróleo pero también tungsteno y caucho, entre otros tantos– que resultaban ahora insumos críticos para la industria moderna, al tiempo que ingentes cantidades de escaso oro y divisas debían ser usados para adquirir esos productos. Por otra parte, los largos viajes hacia los lejanos enclaves donde se encontraban las reservas encarecían los productos finales. Finalmente, se tornaba indispensable contar con bases seguras en ultramar para proteger el naciente esquema de intercambio.

En este complicado cuadro de situación los alemanes centraron la batalla por su subsistencia en América del Sur. No fue en la China ni en la India. Tampoco en África. Desde los tiempos de Guillermo II grandes expediciones de carácter militar travestidas como "científicas" habían recorrido valles y montañas sudamericanos con el único propósito de relevar –en planos exactos de vastos territorios hasta entonces poco conocidos– la ubicación de materias primas críticas para su industria.

De hecho, las reservas petroleras de América del Sur pronto fueron motivo de conflictos armados, en algunos de los cuales Alemania se involucró activamente, en particular con su fuerza aérea. Esa participación se explica en primer término por el petróleo, pero un segundo análisis permite advertir que las figuras centrales en los albores del nazismo habían comprendido la creciente importancia estratégica de la aviación militar en desmedro de la fuerza naval, cada vez más vulnerable a los ataques aéreos. En tal sentido los conflictos latinoamericanos permitieron el desarrollo de tácticas bélicas, de innovaciones técnicas y el entrenamiento de pilotos, muchos de los cuales eran veteranos de la Primera Guerra.

Varios años antes de la llegada de Adolf Hitler al poder, y pese a las explícitas restricciones del Tratado de Versailles de 1919, el Partido Nacional Socialista Alemán tenía ya gran cantidad de diputados cuya principal actividad consistió en el rearme subrepticio de la fuerza aérea, bajo la cobertura de la aviación civil y comercial. No en vano el jefe de la "bancada nazi" era Hermann Göring, por entonces el hombre más cercano al futuro *Führer*. La visión sobre una "aeronáutica total" era compartida por el general maestro del Aire Ernst Udet y por el futuro mariscal de campo Erhard Milch.

Este trío –que luego monopolizó la toma de decisiones estratégicas bélicas de la Alemania nazi, mentor

CARLOS DE NÁPOLI

de la *Blitzkrieg* o guerra relámpago–, fue el artífice de la *Luftwaffe*, la Fuerza Aérea del Tercer Reich que estaba actuando en América del Sur con bombarderos y aviones artillados con cañones mucho antes del supuesto bautismo de fuego de la *Luftwaffe* a través de intervención de la Legión Cóndor en la Guerra Civil Española (1936-1939).

Como se narrará en detalle, entre 1932 y 1935 la Guerra del Chaco –o del Petróleo– enfrentó a Bolivia y Paraguay por un territorio poco habitado, pero que presumía la existencia de grandes reservas de petróleo. Bolivia, que carecía de fuerza aérea, alquiló los servicios del Lloyd Aéreo Boliviano, una empresa de capitales y pilotos germanos en su totalidad que realizó operaciones de transporte masivo de tropas –por primera vez en la historia miles de hombres y pertrechos fueron trasladados al frente de batalla por vía aérea–, entrenó a sus pilotos, ensayó tácticas de combate. Por otra parte, las urgencias bolivianas determinaron que la venta de armamento se concretara a precios elevados, al igual que el pago a los pilotos en divisas, siempre escasas en Alemania.

Un conflicto contemporáneo, entre 1932 y 1934, se desarrollaría entre Perú y Colombia cuando militares y policías del primer país atacaron la ciudad colombiana de Leticia, zona de reservas petroleras y de caucho, originando otra contienda bélica conocida como Conflicto Amazónico. Casualmente, como el gobierno colombiano tampoco contaba con una fuerza aérea adecuada, debió contratar, en las mismas condiciones que los bolivianos, los servicios de los alemanes de la Sociedad Colombo-Alemana de Transportes Aéreos (SCADTA).

Como no podía ser de otra manera, estos conflictos involucraron también a militares norteamericanos, franceses y británicos, que por lo tanto conocían perfectamente la participación de pilotos y aviones de guerra alemanes actuando como bombarderos y totalmente artillados, a pesar de las estrictas prohibiciones del Tratado de Versailles. En otras palabras, los futuros Aliados sabían perfectamente que Alemania, aun antes de la llegada de Hitler al poder, no estaba desarmada. Nada hicieron por detener el rearme alemán, por lo cual parece vislumbrarse que algunos políticos, sobre todo en el Reino Unido, veían con agrado el fortalecimiento germano como un reaseguro contra la expansión del comunismo soviético.

Sin embargo, los Estados Unidos se convirtieron en un muro de contención, vía Doctrina Monroe, para las apetencias imperiales europeas –no sólo las alemanas– en todo el continente.

Cuando en 1907 José Fuchs descubrió petróleo en Comodoro Rivadavia, el sur argentino despertó el interés tanto de germanos como de británicos, que fueron los primeros en instalar destilerías y todo lo necesario para abastecer sus designios estratégicos. Por medio de leyes especiales quitaron potestades al gobierno argentino para controlar las actividades que allí se desarrollaban. En especial, la Ley de Minas prohibía al Estado realizar cualquier tipo de explotación, con lo cual lo actuado durante decenas de años por las petroleras allí instaladas permanece en secreto. Así la Patagonia argentina, un territorio hasta entonces olvidado, adquirió un valor estratégico y económico fundamental para las potencias centrales, pues además de sus riquezas naturales era el punto de comunicación entre los dos océanos más extensos del planeta.

Los planes alemanes sobre el dominio de la región avanzaron todo lo que sus fuerzas les permitieron, aunque los intereses de británicos y americanos no eran cuestiones menores y contra éstos pelearon con denuedo, pero en desventaja.

A partir de la convicción sobre la necesidad de contar con bases seguras en el sur del continente como condición excluyente para un imperio germano allende los mares, como se narrará en su momento, los nazis intentaron ocupar las Islas Malvinas, invadieron el territorio reclamado por Noruega en la Antártida, crearon en la Patagonia sociedades que controlaron puertos privados desde donde se viajaba en forma directa a Europa y viceversa, aeródromos; poseían correo propio, empresas aéreas, navieras, enormes extensiones de tierras y todo lo necesario, incluyendo moneda propia, para constituir un país –en código, Teutonia– dentro de otro.

Después de la guerra, una cantidad indeterminada de criminales de guerra se refugió en la Argentina. Se valieron de esa estructura, de la red de espías propios montada en el país, contaron con la ayuda de las autoridades nacionales, de pasaportes otorgados por la Cruz Roja Internacional, de submarinos, todo con la connivencia de los triunfadores Aliados de acuerdo con la Operación *Sunrise* bajo la responsabilidad de Allen Dulles, director de la OSS –antecedente inmediato de la CIA–.

Entre esos planes de fuga se destaca la operación montada para un eventual escape de Hitler por la piloto estrella del nazismo, la bella y misteriosa Hanna Reitsch. El plan data de 1934, se pactó en la estancia La Primavera de la familia Bustillo, y se mantuvo activo hasta el fin de la guerra. Como se verá, sugestivamente la valerosa Reitsch voló desde y hacia Berlín, más precisamente hasta el *Führerbunker*, en medio de los bombardeos soviéticos, hasta las horas finales del régimen.

PRIMERA PARTE

Aire

Los ideólogos de la *Blitzkrieg* en la Argentina. Los planes de Milch para América del Sur

El supuesto poderío de las fuerzas armadas de Hitler es otro de los tantos mitos que circulan alrededor de la Segunda Guerra Mundial. Si bien era un aparato bélico considerable, estaba muy por detrás del Reino Unido, de los Estados Unidos de América, de la Unión Soviética y del Imperio Nipón.

Once meses después de comenzada la Segunda Guerra, la *Luftwaffe* era derrotada en la Batalla de Inglaterra, y cuando, hacia el final del conflicto, la cantidad y calidad de aviones alemanes fue suficiente, no tenían una gota de combustible para volar. Tampoco era importante la flota naval de superficie que, por otra parte, fue virtualmente borrada del mapa en los primeros años de la guerra. La característica fundamental de las fuerzas armadas del Tercer Reich era la *Blitzkrieg*, o guerra relámpago, táctica basada en la concentración de fuego sobre una zona preestablecida, en general un flanco débil del enemigo castigado con artillería de gran calibre y aviones en picada que lograban arrojar bombas certeramente. Una vez que el enemigo quedaba aturdido y semiparalizado avanzaban los tanques y la infantería. En tales circunstancias tomaban grandes cantidades de prisioneros, pero el ataque no cesaba. Las unidades que habían roto los sistemas defensivos volvían sobre sus pasos encerrando por retaguardia al resto del frente, que quedaba entre dos fuegos, sin reabastecimiento ni cobertura aérea. Esta táctica proporcionó resonantes triunfos ante Polonia y Francia, pero su propio nombre, guerra relámpago, indica sus limitaciones: no podía extenderse en el tiempo ni desarrollarse en grandes extensiones, como cuando Alemania intentó la invasión al Reino Unido –código León Marino– o cuando Hitler ordenó el ataque a la Unión Soviética –código Barbarroja–.

Sin lugar a dudas, tanto el general maestro del Aire Ernst Udet como el mariscal de campo Erhardt Milch fueron los principales ideólogos de la *Blitzkrieg* y responsables casi absolutos del diseño de la maquinaria militar nazi adaptada al concepto de guerra relámpago. Lo interesante es que, bastante tiempo antes de la declaración de la Segunda Guerra Mundial, Udet y Milch desempeñaron tareas de importancia en la Argentina.

Ernst Udet, un as de caza de la Primera Guerra Mundial con un historial de 62 derribos, tenía su propia fábrica de aviones y llegó a ocupar el cargo de *Generalflugzeugmeister* o Maestro General de Aviación, además de desempeñar importantes funciones en el Ministerio del Aire. Mujeriego empedernido y alcohólico, Udet detestaba los trabajos burocráticos y amaba el riesgo de las acrobacias aéreas. Si bien se lo considera un amante de los biplanos por su capacidad de maniobra, se presentó en la Argentina con un monoplano construido en su fábrica con el que ganó una carrera entre Rosario y Buenos Aires. Según la *Historia de la Aviación Naval Argentina*, "El as alemán Ernesto Udet visitó el país en 1923, y lo mismo hicieron sus compatriotas Max Holtem y Eugenio Gerbert en 1921, en amplias demostraciones de vuelos con Fokkers, Junkers, y otros aviones alemanes".[1] En los Estados Unidos piloteó el Curtiss Hawk, que lo impresionó por su capacidad de picado, es decir, la resistencia en aceleración hacia tierra. Udet vislumbró que la resistencia al picado podría aprovecharse para mejorar la precisión de los bombardeos aéreos. Estas especulaciones, su influencia y la de Milch, derivaron en el diseño de un avión que sería el terror de los aliados durante los primeros años de la guerra, el Junkers Ju-87 de la fábrica germana de aviones Junkers Flugzeug und Motorenwerke AG, vulgarmente conocido como Stuka.

Erhard Milch nació el 30 de marzo de 1892 en el puerto de Wilhelmhaven, base de la Marina Imperial Alemana. Era hijo de Antón Milch, especialista en farmacia de la Marina del *Kaiser*, y de Klara Auguste Vetter, ambos protestantes. En 1940 Milch ya había recibido la Cruz de Caballero y el 19 de julio de

---

1 Departamento de Estudios Históricos Navales, Buenos Aires, 1980, tomo I. Luego de su estadía en la Argentina viajó a los Estados Unidos, donde era famoso. Tuvo un *affaire* con la actriz Mary Pickford y ganó una fortuna con sus demostraciones aéreas. En Alemania filmó varias películas con la directora nazi Leni Riefenstalhl, de la que, se dice, fue amante.

ese año, junto a Kesselring y Sperrle, recibió el bastón de mando de Mariscal de Campo.

En 1926 Alemania fundaba la Deutsche Lufthansa. Bajo la presidencia de Milch se transformó en el período de entre guerras en la mejor compañía aérea de Europa merced a la capacidad organizativa de su presidente. De allí provino parte de los entrenados pilotos, navegantes y dotaciones que conformarían la *Luftwaffe*.

A finales de 1942, además de mariscal de campo era ministro de Estado, inspector general, comandante en jefe combinado de la *Luftwaffe*, director de Armamento Aéreo y presidente de Lufthansa. Ningún personaje del Tercer Reich había acumulado tantos títulos, honores ni condecoraciones como Milch, quien, por otra parte, gozaba del privilegio de acceder al *Führer* sin mediaciones, a pesar de los celos del ministro del Aire Hermann Göring.[2]

---

2 "El apoyo que Hermann Göring había prestado a Hitler al principio de su carrera fue recompensado. Göring había servido en la Primera Guerra Mundial como piloto, y acabó mandando el prestigioso *Richthofen Jagdgeschwader*, aunque su carrera nunca había llegado a ser deslumbrante. Cuando Hitler ascendió al poder en 1933, vio en Göring no sólo a su colaborador ideal, sino también a un hombre al que se había adherido una parte suficientemente grande de la gloria de los por aquel entonces legendarios 'días de Richthofen' para que pudiera resultar atractivo a la imaginación popular. Los honores y los altos cargos llovieron sobre Göring, y, en abril de 1933 se convirtió en ministro del Aire. Erhard Milch

Misión Junkers: preludio de la *"Luftwaffe"* boliviana

Antes de narrar la participación de pilotos alemanes en la Guerra del Chaco, que significaría la primera de muchas violaciones al Tratado de Versailles, será necesario detenerse en la misión "comercial" que la empresa de aviación Junkers envió a la Argentina en 1924, y que contaba entre sus filas a Erhard Milch, el futuro mariscal de campo del Tercer Reich y mentor de virtualmente todos los adelantos del arma aérea y de las tácticas militares de Hitler.[3]

---

aceptó el cargo de secretario general al tiempo que conservaba la presidencia de Lufthansa y, debido a que Göring estaba muy ocupado con la política, a efectos prácticos Milch se convirtió en la máxima autoridad del ministerio del Aire. [...] Milch había sido transferido a la *Luftwaffe* como general en 1936, y su innegable brillantez en los campos de la planificación y la organización no tardó en despertar los celos y la enemistad de Göring. No transcurriría mucho tiempo antes de que Milch sintiera la fatídica influencia de los esfuerzos que Göring iba a llevar a cabo para que fuera sustituido en sus diversos cargos." Tony Wood y Bill Gunston, *El Tercer Reich, la* Luftwaffe *de Hitler*, Madrid, Editorial Rombo, 1997.

3 La empresa había sido fundada en Dessau a comienzos de 1920 por el profesor Hugo Junkers, para producir los transportes totalmente metálicos Junkers F-13. La Junkers Flugzeug und Motorenwerk, sería más tarde uno de los fabricantes de motores de avión y aeronaves más grandes de Alemania, con filiales en Aschersleben, Bernburg, Halberstad y Leopoldshall. Ese mismo año el ingeniero Claudius Dornier creó su empresa a partir de la antigua Zeppelin-Werke Lindau en Friedrichshafen. En 1922 Heinrich

El 1 de abril de 1924, tres días después de que la Rioplatense suspendiera sus servicios, desembarcó en Buenos Aires la misión Junkers, un grupo alemán que presentaba un avión radicalmente nuevo, el monoplano metálico Junkers F-13, con motor BMW de 185 hp. El equipo estaba dirigido por Walter Janstram, y lo integraban los pilotos Franz Holzmann, Alfred Grundke, Karl Hucke, Franz Kneer y Willy Neuenhofen. Milch era jefe de servicios orgánicos.[4] La misión se instaló en El Palomar, lo que resulta extraño, o al menos una excepción, teniendo en cuenta que el Ejército no autorizaba a particulares a operar desde allí. Probablemente haya gestionado el permiso el mayor Francisco S. Torres, jefe del Departamento de Aviación Civil del Ejército, muy vinculado a la misión.

El 8 de julio se realizó un vuelo de 1.100 kilómetros sin escalas entre Buenos Aires y Tucumán, en 8.50 horas. Llevaba dos tripulantes y tres pasajeros, mientras que el regreso se hizo bajo la lluvia el día 14. Neuenhofen y Kneer, acompañados por tres pasajeros, volaron también

---

Focke y Georg Wulf fundaron la Focke-Wulf Flugzeugbau en Bremen, y en 1926 se fundó la Bayerische Flugzeugwerke en Augsburgo, que se transformaría en 1938 en Messerchmitt A.G. por el apellido de su presidente, el profesor Willy Messerchmitt. Se trataba en apariencia de empresas comerciales, pero sus naves eran fácilmente convertibles en aviones de guerra con sencillas transformaciones en lugares preestablecidos. Cfr. Wood y Gunston, ob. cit.

4 A. Biedma, "Aquí entre nosotros, sólo quedó el desaliento", en *Revista Nacional Aeronáutica y Espacial*, Buenos Aires, junio de 1962.

entre Mendoza y Santiago de Chile. Ya a temprana edad Neuenhofen había servido como piloto en la Primera Guerra Mundial acreditándose 15 derribos. Ambos participarían de un festival de vuelo en San Fernando con un A-20, competencia en la que Kneer obtuvo el primer puesto. Otro Junkers hacía demostraciones en el norte del país a cambio de 20 pesos por una plaza en esos vuelos recreativos. Pero a pesar de estos acontecimientos la misión no consiguió subsidios para establecer rutas importantes, por lo que, a sugerencia del mayor Torres, estudió las posibilidades del enlace aerocomercial entre Córdoba y Villa Dolores.[5] Las cosas mejoraron cuando el 18 de diciembre se realizó un vuelo de reconocimiento con dos tripulantes y cuatro pasajeros cubriendo en cuarenta y cinco minutos un trayecto montañoso que exigía siete o más horas por tierra, por lo cual la provincia entregó a Junkers un subsidio de 4.000 pesos para cada uno de los tres primeros meses de 1925. Comenzó de ese modo el "Servicio de mensajería aérea a cargo de la misión Junkers", que partía de Córdoba. Cobraba los subsidios el Aero Club Córdoba, destinatario original de los fondos, pero el 21 de agosto de 1925 se formó el Aero Lloyd Córdoba, una sociedad formada por alemanes y cordobeses para explotar servicios aéreos con aviones Junkers. El capital se fijó en un millón de pesos y fue designado presidente nominal el almirante

---

5 Pablo L. Potenze, *Catálogo histórico del transporte aéreo argentino*, Buenos Aires, 1988.

Alfredo Malbrán. El 1 de marzo a mediodía, bajo la lluvia, un hidroavión Junkers F-13 piloteado por Alfred Grundke inauguró por tercera vez desde 1921 el correo regular entre las capitales del Plata transportando 327 cartas, si bien originariamente se trataba de un servicio de pasajeros.

En ese entonces las empresas aeronáuticas alemanas se estaban expandiendo en Brasil, de manera que buscaron enlazar esas redes con sus rutas argentinas. El 8 de septiembre, un viaje de ensayo a Río Grande do Sul transportó como pasajeros al doctor Conil Paz y a un ciudadano alemán con sus dos hijos menores.[6] Ese vuelo inauguró el aeródromo Presidente Rivadavia de Morón para servicios comerciales. Con vistas a ampliar el negocio se trajo un Junkers G-24 que, con tres motores de 300 hp, capacidad para diez pasajeros y baño, era una máquina muy superior a cualquier otra conocida en la Argentina. El 3 de noviembre de 1926 voló sobre la ciudad transportando periodistas para apoyar las negociaciones de Junkers en demanda de subsidios para una línea aeropostal entre Brasil y la Argentina.

Los servicios Junkers funcionarían por poco tiempo más, pues en octubre de 1927 el correo no renovó el contrato para el servicio a Montevideo, lo que motivó su suspensión, al tiempo que Córdoba también retiraba el subsidio, con el consecuente retiro del grupo empresario.

6 Después se supo que los niños habían sido secuestrados por su padre divorciado, desencadenando un novedoso caso policial.

Milch entendió pronto que para dominar las rutas sudamericanas y el cruce del Atlántico se necesitarían aviones de gran radio de acción. Sus esfuerzos se dedicaron entonces a la consecución de una nave de esas características, y que en el futuro pudiera transformarse en bombardero estratégico. Terminada la aventura argentina Erhard Milch volvió a Alemania, y desde Junkers y Lufthansa apoyó financieramente a Göring y otros diputados nazis a fin de mantener el apoyo a la industria aérea, un caso que podría denominarse "coimas en el Reichstag".

En cuanto al resto de los pilotos, nuevos vuelos los esperaban. Los planes de Milch y Udet y la experiencia adquirida en la Argentina, iban a ser puestas a prueba a la brevedad a propósito del conflicto por un enorme territorio del altiplano boliviano que reclamaban tanto Bolivia como Paraguay.

El LAB y sus pilotos de acento alemán

Debido a la extensión territorial de Bolivia –1.050.000 km²– y por la falta de caminos que conectaran al país, la colonia alemana, encabezada por el ingeniero y doctor Hans Grether, obsequió al gobierno boliviano un avión para organizar la primera compañía comercial de transportes aéreos.[7] El alemán Guillermo Kyllmann,

---

7 Esta pequeña aunque poderosa colonia alemana adquirió notoriedad cuando se divulgó su carácter nazi, y que había financiado el golpe de Estado del dictador fascista Hugo Banzer.

uno de lo impulsores del proyecto, fue designado presidente de la empresa. Fue así como en julio de 1926 llegaron las piezas del primer Junkers F-13,[8] entre los primeros fabricados íntegramente de metal, con capacidad para cuatro pasajeros y dos tripulantes, al que se bautizó *Oriente*.[9] Llegó acompañado por los pilotos alemanes Walter Jastram y Willy Neuenhofen, este último comisionado por la fábrica como asesor durante el ensamblaje y para realizar los vuelos de prueba. Ambos provenían de la Argentina, donde se encontraban trabajando para el Lloyd Aéreo Córdoba, y se transformarían en los primeros pilotos del Lloyd Aéreo Boliviano (LAB) que, por Resolución Suprema, lograba personería jurídica el 7 de noviembre de 1925. Estas operaciones eran propiciadas por Erhard Milch, quien por entonces ya era presidente de la Deutsche Lufthansa. Los pilotos eran sus ex compañeros de aventuras en la Argentina.

En septiembre de 1926, LAB recibió su segundo avión, aunque el 6 de noviembre, por mal tiempo en la ruta a Santa Cruz, sufrió la pérdida del avión *Oriente* y de su piloto, un alemán de apellido Sailer.[10] Ese avión fue reemplazado por el *Oriente II* desde principios de

8 Monomotor BMW IV de 6 cilindros y 300 hp.

9 *Revista Nacional Aeronáutica y Espacial*, Buenos Aires, agosto de 1962.

10 "La obra del Lloyd Aéreo Boliviano", en *Revista Aero*, Bolivia, 1990.

1927, y en abril de 1928 el LAB adquirió tres aviones más provenientes de la Misión Junkers en la Argentina. Esas naves permitieron los primeros vuelos hacia el Mamoré, al tiempo que se creaba un departamento de aerofotogrametría y la Escuela de Pilotos y Mecánicos de Aviación del LAB. Más tarde el instructor alemán Wolfgang Lenader entrenaría en esa escuela a pilotos de combate.

A fines de julio de 1930 el LAB inauguraba sus rutas internacionales La Paz-Corumbá –un pool con la empresa brasileña Sindicato Cóndor Ltda.– y Corumbá-Río de Janeiro, tramo que resultó apropiado para su extensión a Europa. El Sindicato Cóndor, antes Condor Syndicat, también manejado por grupos alemanes que respondían a Milch, combinaba sus vuelos con los servicios catapultados de Lufthansa y los dirigibles alemanes, manteniendo conectada a Europa con Bolivia, Chile y la Argentina. Al comenzar la Segunda Guerra y los roces, el gobierno brasileño intentó inmovilizar al Sindicato Cóndor a través de bloqueos de combustible y suministros, pero en 1942 un grupo financiero brasileño compró la empresa, que pasó a llamarse Servicios Aéreos Cóndor Ltda. Maniobras como ésta, es decir la transferencia de titularidad a manos de testaferros locales, se repitieron en todas las empresas alemanas en América del Sur para evitar confiscaciones en caso de que los países de la región entraran en guerra. Los norteamericanos consideraban a Cóndor un nido de espías nazis, de modo que cuando Brasil se sumó a los Aliados procedió a expulsar a todo el personal alemán, mientras que gran parte de sus aviones, diez Ju-52, fueron vendidos al Ejército Argentino en 1945.[11]

Los primeros Ju-52 de las Fuerzas Armadas Argentinas habían sido adquiridos por el general Armando Verdaguer en Alemania, en 1938, y llegaron al país en octubre de 1939, luego del estallido de las hostilidades, posiblemente provocando serios problemas ya que los compró a un valor de un millón y medio de pesos sin autorización del gobierno. Estos "tours" de militares argentinos a Alemania eran organizados por el embajador alemán Von Thermann para alentar la admiración por la *Wehrmacht* –Fuerzas Armadas alemanas– y para fomentar la compra de armamento alemán.

Chaco: El debut de la *Luftwaffe*

El conflicto armado con Paraguay se inició en septiembre de 1932 cuando tropas paraguayas atacaron el fortín Boquerón. Fue una guerra que tras problemas de límites ocultaba intereses petroleros de la Standard Oil, que exploraba en territorio boliviano, y de Royal Dutch Shell, que hacía lo propio en Paraguay, en ambos casos en áreas selváticas en litigio. Cuando se desató la Guerra del Chaco la flota aérea comercial del LAB estaba compuesta por dos Junkers W-34, cuatro Junkers F-13,

---

11 Uno de ellos fue artillado para doblegar a la tribu rebelde Pilagá en 1947.

dos Junkers de Escuela A-50 y un avión Junkers de observación adaptado para trabajos de aerofotogrametría.[12]

El gobierno de Bolivia encomendó de inmediato al LAB el planeamiento y la ejecución de un servicio de transporte aéreo adecuado a las graves necesidades del país en esas circunstancias, sobre la base del equipo de aviones en operación y la rápida compra de otros de mayor capacidad. El conflicto significó que privados y el Estado se transformaran en accionistas del LAB, lo que explica la adquisición de aviones no alemanes. El gobierno compró un trimotor Ford y dos trimotores Junkers del tipo Ju-52 con fondos de una suscripción patriótica de capitales nacionales recaudados por el Centro de Propaganda y Defensa Nacional, y fueron entregados posteriormente al LAB. Otro trimotor Junkers, cuya compra había sido decidida por el LAB a fines de 1931, se terminó de pagar con esos capitales y quedó también a su cargo.

El Ford llegó en septiembre de 1932, pero luego de volar poco más de un mes se perdió en un extraño accidente ocurrido en Villa Montes el 26 de octubre. Todo el pueblo de Villa Montes atestiguó cómo, en pleno día, el avión se desintegraba en el aire para caer en pedazos,

---

12 Junkers no se limitó a la venta de aviones sino que se ocupó también de la construcción de hangares metálicos. El LAB estaba íntimamente relacionado con Junkers. Durante algún tiempo la actividad aérea en Bolivia comprendió también encargos fotogramétricos al servicio de la evolución industrial del país, trabajos que fueron realizados por los principales peritos en aerofotogrametría de Europa.

hecho que permitió conjeturar que pudo tratarse de un atentado. Al cabo de un mes de ese accidente, el primer trimotor Junkers Ju-52, llamado *Chorolque*, despachado por vía marítima desde Alemania, llegó a Arica desde donde voló a La Paz a fines de noviembre. Los otros dos trimotores de esta clase, *Juan del Valle* y *Huanuni*, fueron adquiridos y donados al gobierno de Bolivia por el citado Centro de Propaganda y Defensa Nacional, y por el aporte del multimillonario boliviano Simón I. Patiño. Llegaron a Bolivia, vía Río de Janeiro, en los últimos días de enero de 1933. El LAB pretendía que Alemania enviara además un lote de repuestos para esos trimotores, para lo cual acudió una vez más a la ayuda patriótica de Patiño, esta vez por quince mil dólares. Sin embargo, el millonario se negó, alegando que ya había aportado una suma mayor que la comprometida, respuesta seguramente inesperada en momentos en que el país afrontaba una guerra.

La construcción resistente del Ju-52, sus buenas características de vuelo y su capacidad de carga de tres toneladas lo hacían un avión ideal para las condiciones de vuelo en el altiplano. Por expreso pedido del LAB Bolivia adquirió la versión 3M –tres motores Hornet de 650 hp–, característica que brindaba mayor confiabilidad en vuelos de altura. Debían ser aptos para despegar desde pistas situadas a más de 4.000 metros sobre el nivel del mar, como El Alto de La Paz, o recorrer rutas volando por encima de los 6.000 metros. Podían llevar hasta diecisiete pasajeros, y en algunos tramos transportaron hasta 2.500 kilogramos de carga. Esa configuración trimotor sería adoptada por los alemanes en todos los modelos de Junkers que equiparían a Lufthansa, a la *Luftwaffe* y a tantas otras fuerzas aéreas, entre ellas las del dictador Franco.

A principios de 1934 se sumó a la flota del LAB el bimotor anfibio Sikorsky S-38, con capacidad para seis pasajeros. El *Nicolás Suárez* atendía el servicio aéreo a Beni, ya que podía tanto aterrizar como acuatizar, y posteriormente probó sus excelentes cualidades desde su primer vuelo en la ruta Cochabamba-Todos los Santos-Trinidad, efectuado el 9 de marzo.

En enero de 1935 el LAB adquirió a la Compañía Bol-Inca Mining Corporation otro avión anfibio semejante al *Nicolás Suárez* llamado *Marihuí*, y otro trimotor Junkers Ju-52, el *Bolívar*, que alcanzaría una velocidad de hasta 300 kilómetros por hora. Llegó en barco al Puerto de Arica y de allí voló hasta Cochabamba el 24 de abril. Estaba mejor equipado que los otros tres trimotores y fue considerado en su tiempo un avión de lujo. Resultó la máquina más caracterizada del LAB, en cuyas líneas voló hasta junio de 1943, cuando lo vendió a Aeroposta Argentina S.A. Actualmente se encuentra en el Museo Aeronáutico de Morón, en la provincia de Buenos Aires, aunque no luce ya su nombre *Bolívar*. Ese avión, piloteado por el alemán Hermann Schroth, gerente del LAB, conduciría a la delegación boliviana hacia Paraguay para la firma del armisticio en junio de 1935.

Al finalizar la Guerra del Chaco se tornó evidente la labor desempeñada por el LAB como parte integrante del Ejército boliviano en campaña, con todos sus recursos y su personal, para ocuparse del transporte aéreo requerido por las operaciones militares, relegando a segundo plano su servicio comercial. Durante los tres años que duró el conflicto el LAB cumplió con eficiencia las instrucciones impartidas por el Comando Superior del Ejército. Por causa de la Guerra del Chaco las operaciones aéreas del LAB se triplicaron durante 1933 respecto de los vuelos del año anterior. Según sus registros realizó 2.774 vuelos que sumaron 4.901 horas o 914.470 kilómetros, transportando 20.256 personas y 1.647.094 kilogramos de correo, equipajes y carga. Comparando la estadística de los servicios aéreos del LAB durante sus primeros seis años con la de los servicios prestados en la Guerra del Chaco, se percibe un claro aumento que favoreció enormemente al capital alemán. Así, las grandes inversiones alemanas en Bolivia se transformaban en impunes violaciones del tratado de Versailles y sus anexos.

Entre los pilotos del LAB se destacaba, como se mencionó, Hermann Schroth, a quien el Comando Superior del Ejército distinguió particularmente con la Orden del Mérito Militar en el grado de Oficial. Poco antes de iniciarse la Guerra del Chaco Schroth había llevado a cabo varios vuelos de reconocimiento con aerofotogrametría con un Junkers W-34.[13] En el curso de uno de esos reconocimientos, el 3 de noviembre de 1931 descubrió

---

13 Hans Helfritz, *Im Land der Weissen Cordillera*, Berlín, Safari Verlag, 1952.

la Laguna Chuquisaca, foco del diferendo chaqueño. Su labor durante el conflicto fue en verdad encomiable. No sólo realizó más vuelos de exploración, sino que alcanzó a trasladar al interior del país cerca de ocho mil combatientes entre heridos y enfermos. Otro importante piloto del LAB fue Alfred Grundke –abuelo de la modelo Ingrid–, quien llegó a Bolivia luego de que la misión Junkers abandonara la Argentina. Trabajó para el LAB hasta que en 1940 se embarcó clandestinamente a Alemania, donde fallecería en un accidente de tren en 1945 a la edad de 49 años. A la lista de pilotos alemanes en el LAB se suman Hermann Berndt, Ernst Edler, Werner Günther, Arnold Helmers, Georg Jüterbock, Thomas Krzenciessa, Georg Joas y Fritz Kummer. Algunos habían combatido como pilotos en la Primera Guerra, pero todos trabajaron para Junkers en los años veinte, comenzado luego su carrera en el LAB, y en algunos casos retornando a Junkers. Berndt ingresó al LAB en junio de 1927 pero perdió la vida en un accidente en junio del siguiente año. También en Bolivia fallecería Günther en 1932, por una apendicitis aguda. Trabajaba para el LAB desde 1930. Helmers sólo piloteó para el LAB desde 1929 hasta 1931, cuando regresó a Alemania, como lo hiciera Edler en 1936, luego de tres años de servicios en el LAB. Kummer, que entró en la aerolínea en 1929, se retiraría luego de finalizar el conflicto del Chaco. Joas, que había sido piloto en la Argentina en 1924, voló en el LAB durante 1926. Regresó luego a Alemania para continuar trabajando en Junkers, mientras que en la Segunda Guerra ascendería hasta el cargo de capitán.

Jüterbock, uno de los más experimentados pilotos del LAB
–detentaba diversas marcas–, comenzó su carrera en la
empresa hacia 1930, hasta que falleció a causa de un accidente con un Ju-52 en 1940. Camino inverso al de la
mayoría realizaría Krzenciessa. Piloteaba para el LAB en
1926, pero a principios de 1927 sería contratado en la
Argentina por su cuñado Holzmann, para retornar en
1933 a Alemania y tomar parte en la reconstrucción de
la Wehrmacht como piloto civil. Durante la guerra fue
piloto de la *Luftwaffe* con el rango de *Stabsflugführer*
del *Flugführerkorps*. Su cuñado, Franz Holzmann, que
había sido piloto militar en la Primera Guerra Mundial,
comenzó a trabajar para Junkers en 1922. En 1924 formó
parte de la misión Junkers a América del Sur, donde
permaneció como jefe de ventas de Junkers hasta 1930,
cuando pasó a desempeñarse como consejero técnico
de la empresa Berger Mertin & Co., que representaba a
Junkers en Buenos Aires. Al año siguiente fue designado director técnico del Sindicato Cóndor hasta que fue
arrestado en 1945 en Buenos Aires e internado en un
campo de prisioneros de Inglaterra, donde enfermaría
gravemente. Murió en Brasil en 1956, donde se había ra-
dicado tras recobrar la libertad. Al parecer, el Sindicato
Cóndor se dedicaba a algo más que a simples tareas comerciales. Enrique Herhamer se empleó en la Argentina luego de volar los Ju-52 en Bolivia, como instructor
del Club de Planeadores Cóndor. Sin embargo los alemanes que tendrían participación directa en la fuerza aérea
durante el conflicto, además de Schroth, serían el especialista en aerofotografía Nicols Ungewiter, y los pilotos

Nils Bhoquez, Jorge Wilsterman, Manfred Sneider, Peter Kudrjawzeff y Emil Katzner. En el caso de Kurdjaw-zeff, este piloto había sido contratado por Junkers en 1928, llegando al LAB recién en 1932, donde trabajaría hasta su muerte en 1938.

Cuando venció el contrato de operaciones con el gobierno de Bolivia, el LAB suscribió el 30 de octubre de 1936 otro acuerdo por diez años, y combinaciones de vuelo con Lufthansa y el Sindicato Cóndor uniendo África, Europa y América del Sur. Su flota continuó incrementándose en 1937 y 1938, primero con la llegada del Ju-86 que, despachado de Dessau hasta Arica a fines de 1936, continuó en vuelo desde ese puerto hasta La Paz en marzo de 1937. Voló durante cinco años en las líneas del LAB hasta que fue transferido al Estado boliviano.

Por cuenta del gobierno, el LAB adquirió a mediados de 1938 otros tres bimotores Junkers Ju-86K. Estos tres aviones se fabricaron para uso militar, pero con uno de ellos el LAB operó el servicio La Paz-Corumbá, cubriendo su parte del servicio multinacional entre Lima y Río de Janeiro en colaboración con Lufthansa de Perú, que se ocupaba del tramo Lima-La Paz, y con el Sindicato Cóndor que cubría el trayecto Corumbá-Río. Este emprendimiento denominado "Recta Atlántico-Pacífico" fue una de las mayores demostraciones del poderío alemán en América Latina durante la preguerra inmediata.[14]

14 Pablo L. Potenze, *Historia del Transporte Aerocomercial*, Buenos Aires, ALADE-UADE, 1997.

Tras el estallido del conflicto mundial la Casa Blanca comenzó a presionar al gobierno boliviano para que se apropiara de la empresa, por lo cual en mayo de 1941 el LAB fue nacionalizado y los empleados alemanes despedidos, mientras que en agosto se rescindió el contrato con la aseguradora alemana Mitteldeutsche Versicherungs Geselleschaft M.B.H. de Dessau. Hermann Schroth abandonó Bolivia para radicarse en la Argentina, donde se convirtió en industrial. Falleció en ese país en 1974.

En junio de 1938 y 1939 el LAB recibió la visita, promovida por Erhard Milch, del barón von Gablenz, director de la Deutsche Lufthansa A.G. de Alemania, quien hizo saber que su compañía estaba dispuesta a cooperar con material de aviación fabricado en su país, como también a aportar capital a cambio de acciones. Gracias a esos recursos técnicos, en septiembre de 1939 el LAB pudo iniciar los llamados "vuelos ciegos", o vuelos instrumentales, en condiciones atmosféricas desfavorables. Los cursos para tales vuelos fueron impartidos por el piloto alemán Paul Rohlandt, experto en la materia enviado a Bolivia por la Deutsche Lufthansa. Rohlandt se encontraba desde 1937 en la Argentina, donde piloteaba sobre la Patagonia un Junkers Ju-52 de la empresa Aeroposta.

SCADTA y sus pilotos de habla alemana. El conflicto amazónico

Cuatro acontecimientos son centrales para analizar la intervención directa de los nazis en América del Sur. Además de la Guerra del Chaco debe considerarse la invasión a la Antártida en 1939, el intento por tomar las Islas Malvinas por parte del acorazado *Graf von Spee* en diciembre de 1939 y el Conflicto Amazónico entre Perú y Colombia por el control de la ciudad de Leticia y su zona de influencia entre 1932 y 1934. Tanto la Guerra del Chaco como el Conflicto Amazónico comenzaron un año antes de la llegada de Hitler al poder, por lo que podría pensarse que los nazis estaban al margen de estos eventos.

Sin embargo, esos enfrentamientos en zonas remotas y poco pobladas, únicamente accesibles por vía aérea, no habían pasado desapercibidas a los ojos de personajes de la astucia de Erhard Milch o del almirante Guillermo Canaris. En 1932 la influencia de Milch en el desarrollo de esos sucesos era central, y por motivos varios: en primer lugar, los conflictos sudamericanos generaban divisas para Alemania, en tanto la lejanía de los enfrentamientos respecto de las grandes urbes hacían del avión un elemento bélico vital; en segundo término los teatros de operaciones presuponían la existencia de enormes reservas de petróleo, combustible que Alemania no poseía y necesitaba imperiosamente;[15] por otra parte,

15 Encontrándose las reservas de petróleo de Medio Oriente en manos francesas, británicas, americanas y holandesas, Venezuela, Colombia y Ecuador pronto se transformaron en puntos críticos de la política exterior alemana. Cientos de espías habían fotografiado cada centímetro de América del Sur, descubriendo desde enormes plantaciones de coca en Bolivia y Colombia hasta regiones con reservas de petróleo o ríos cordilleranos con potencial hidroeléctrico.

los acontecimientos permitían implementar nuevas tácticas como el uso de la aviación para el transporte masivo de tropas, para bombardeos o la acción combinada de tanques, artillería y aviones, una suerte de ensayo germinal de la *Blitzkrieg*.[16] En los hechos, cuando le tocó a Milch dirigir personalmente los movimientos aéreos de la Legión Cóndor durante la Guerra Civil española (1936-1939), ya tenía amplia experiencia en el transporte de tropas, en el apoyo aéreo a las fuerzas de tierra y en la efectivización de nuevas estrategias bélicas.

Por último, la participación en acciones de guerra de pilotos alemanes en conflictos tan lejanos constituía una flagrante violación al Tratado de Versailles, una más, que ayuda a comprender cómo Hitler alcanzó el poder, aunque también es verdad que el desprecio por los tratados internacionales no fue privativo del *Führer* sino una costumbre heredada desde la creación del Segundo Reich, y una conducta que los dirigentes de la República de Weimar continuaron practicando con vehemencia.

En esta labor descolló el piloto germano Gunther Pluschow, espía que murió en el sur argentino mientras realizaba su delicada labor, al caer su aeronave. Una calle del barrio bonaerense de El Palomar lleva su nombre.

16 Durante la Guerra del Chaco Milch comprendió pronto que un conflicto prolongado requería de aviones grandes y con gran radio de acción. Ese objetivo constituye, aún en la actualidad, un enorme desafío técnico. Así las cosas y pese a tan temprano descubrimiento, Alemania no dispondría de bombarderos estratégicos durante la Segunda Guerra, al menos en cantidades suficientes.

Los franceses –que en la Guerra del Chaco apoyaron a Paraguay– conocían estos desagradables eventos pero no hicieron lo necesario para neutralizarlos.

Los pilotos alemanes se involucraron en la disputa por Leticia a través de la empresa Sociedad Colombo-Alemana de Transportes Aéreos (SCADTA) –en el futuro Avianca–, pues un decreto del gobierno colombiano de 1931 disponía que en casos de turbación del orden público todas las aeronaves civiles del país pasaran a la órbita del Ministerio de Guerra. Pero, además, en las selvas del sur, es decir en la región del conflicto, las fuerzas colombianas carecían de pistas de aterrizaje y de tiempo para construirlas, y sólo una de sus dieciséis naves estaba capacitada para operar como hidroavión. "Cuando se presentó el conflicto y ante las circunstancias que rodeaban en ese momento a nuestra aviación militar, además de la gran solidaridad patriótica desatada, el gobierno utilizó este recurso mientras se conseguían los aviones militares adecuados a la situación; SCADTA, la única empresa aérea comercial que poseía aparatos sobre flotadores, ideales y precisos para operar en los ríos del sur en apoyo del Destacamento del Amazonas, se involucró en el caso [como puede verse, en condiciones de absoluto monopolio]. Así, pilotos, mecánicos y aviones civiles se desplazaron al teatro del sur. Todo este elemento aéreo tenía una singular composición que a mucha gente ha inquietado. El personal era alemán, compuesto en su mayoría por veteranos de la Primera Guerra Mundial, expertos en la guerra aérea europea y ahora grandes conocedores de nuestro territorio, pues poseían un promedio de 10 años como residentes en Colombia. No eran pues los aviadores mercenarios como fueran calificados por ciertos escritores foráneos."[17]

El 3 de septiembre de 1932 acuatizaba el primer Junkers F-13 de SCADTA en el Putumayo, piloteado por el capitán Hans Werner von Engel, con la noticia del

[17] El grupo alemán estuvo integrado por el coronel Herbert Boy; el mayor Hans Werner von Engel; los capitanes Alexander Mauke, Bodo von Kaull, Franz Valenstein, Fritz Tessens von Heydebreck, Gotob Fritz von Donop, Hans Dietrich Hoffmann, Hans Himpe, Helmuth Breifelt, Helmuth Grautoff, Herman Ernest von Oertzen, Johan Risticz, Joseph Raimund Behrend, Karl Maringer, Karl Heinz Kindermann, Ludwig Graff Chaesberg, Maximilian Martin Haenichen, Max Moog, Olaf Bielenstein, Paul Mutter, Rolf Starke, Walter Valdemar Roeder; los tenientes Adolf Edler von Grave, Georg Theodor Meyer-Scaeffen, Heinz Kutscha y Helmuth Köening, y el subteniente Walter Seelk. Eran sus mecánicos Alfred Kuklinsky, Alfred Wuelfert, Alexander Notz, Aloys Binkowsky, Bertold Mischur, Eduard Eyles, Erik Rettich, Franz Preuschoff, Gunter Freitag, Hans Burger, Hans Roesner, Hans Schultz, Helmuth Boiteaux, Helmuth Roesel, Herbert Grossman, Johan Georg Martin, Kurt Richels, Max Petermann, Richard Schultz, Simon Butz y Walter Fischer Hammermann. "De estos valerosos aviadores alemanes, ofrendaron sus vidas al servicio de Colombia el capitán Maximilian Martin Haenichen en accidente de aviación, Joseph R. Behrendt por enfermedad tropical adquirida en el Sur, y el mecánico Erik Retich, también en accidente aéreo. Al cese de hostilidades, a partir del 25 de mayo de 1933, todo el personal y el material de SCADTA, así como los voluntarios, fueron desmovilizados ese año y retornados a sus habituales ocupaciones." Ob. cit.

desencadenamiento del conflicto por la toma de Leticia: "El objetivo inicial de esta operación fue el de establecer un puente aéreo entre el centro del país y las apartadas regiones del Putumayo y del Amazonas, prestando servicios de reconocimiento y de transporte aéreo de personal, de equipo militar, de enfermos, heridos y de correo. Eran aviones comerciales sin ningún tipo de armamentos después de todo, los Junkers F-13, W-34, Ju-52 y Dornier Wal Do-J y Merkur Do-K."[18]

Mientras tanto, el presidente Enrique Olaya Herrera gestionaba con alemanes y norteamericanos la compra de los aviones necesarios para combatir: "Las diligencias con Alemania debió adelantarlas directamente Herbert Boy, mayor en ese momento, con la ayuda de Joseph Goebbels. (...) Boy y Goebbels fueron compañeros de clase en los años mozos del colegio y, gracias a ello, se logró el cometido".[19] Herbert Boy era por entonces comandante de los pilotos de SCADTA y, por su experiencia, fue designado además para conducir las operaciones aéreas del conflicto. A través de sus contactos Colombia compró en 1932 Junkers K-43 con "ametralladora gemela escualizable sobre la torreta dorsal giratoria, modelo MG-17 de 7 mm. Perchas para bombas entre 10 y 25 kg, bajo sus alas" y Ju-52 con "2 ametralladoras gemelas y una sencilla escualizables sobre sendas torretas giratorias, dorsales y tipo MG-15 de 7,9 mm. Un cañón doble

18 Ídem.
19 Ídem.

escualizable en la torreta ventral, modelo MG-131 de 13 mm. Capacidad total: 1.500 kg para bombas".

No es necesario ser un especialista para comprender entonces que es falsa la amañada versión que sostiene que Hitler creó la *Luftwaffe*. Como acertadamente afirma Winston Churchill en *Grandes Contemporáneos*, el armazón de la Fuerza Aérea alemana se había montado mucho antes de la llegada de Hitler al poder. Para decirlo en palabras de Churchill, "El deporte aéreo y la aviación comercial no fueron más que una simple pantalla tras la cual se ocultaba una tremenda organización, para propósitos de guerra aérea, que se extendía por toda Alemania. El Estado Mayor Alemán, prohibido por el Tratado [de Versailles] crecía de año en año, en proporciones enormes bajo el disfraz de Dirección estatal de industrias. Todas las fábricas de Alemania se hallaban preparadas, hasta el más increíble detalle, para ser convertidas en fábricas productoras de material de guerra. Estos preparativos, aunque perfecta y asiduamente ocultados, eran, no obstante, conocidos por los servicios reservados de Francia y de Inglaterra. Pero ninguno de los gobiernos de estos países tenía la energía suficiente para poner coto a la audacia alemana, para revisar los Tratados ni –lo que aún sería mejor– imponer ambas cosas".

Hans von Seeckt, jefe del mando del ejército en el Ministerio de Defensa, había comenzado la organización de la *Luftwaffe* desde comienzos de la década de 1920, aunque es cierto que gran parte de la financiación del aparato bélico corrió luego por cuenta de fondos reservados aprobados por nazis que ya ocuparon bancas en el Parlamento Alemán.[20] Por las restricciones del Tratado de Versailles las compañías aeronáuticas alemanas desarrollaban modelos destinados aparentemente a la aviación civil, pero todos ellos podían transformarse fácilmente en aparatos de guerra con sólo realizar pequeñas modificaciones. En los hechos, el desarrollo de la aviación civil quedó bajo el control militar clandestino. Como queda dicho, Alemania ya tenía desde 1932 pilotos que actuaban en conflictos bélicos, con aviones artillados y armados con "perchas" para bombas.

Desde esta nueva perspectiva, las guerras sudamericanas, tan poco conocidas, colocan a la Legión Cóndor de la Guerra Civil española como un segundo o tercer eslabón en la cadena de perfeccionamiento bélico hacia la *Blitzkrieg*.

20 "[Hans von Seeckt] estaba convencido de que la aviación militar sería revivida algún día en Alemania. Con vistas a ese objetivo, organizó dentro de su Ministerio un pequeño grupo clandestino de oficiales que se ocuparían única y exclusivamente de los asuntos relacionados con la aviación. El hecho de que algunos de esos oficiales, especialmente Felmy, Sperrle, Wever, Kesselring y Stumpff, llegaran a ocupar puestos de gran importancia dentro de la *Luftwaffe* revela con toda claridad hasta dónde llegaba la capacidad de previsión de Von Seeckt y el profundo error cometido por los vencedores de la guerra de 1914-1918 al permitir que ese núcleo militar siguiera existiendo. Una vez expirada la moratoria de seis meses que siguió a la firma del Tratado de Versailles, los fabricantes aeronáuticos de Alemania reanudaron sus actividades." Cfr. Wood y Gunston, ob. cit.

SEGUNDA PARTE

Tierra

Los colonos del Reich

Millones de inmigrantes se asentaron en la Argentina a lo largo de cuatro siglos. De éstos, sólo un porcentaje mínimo era de origen germano.[1] Sin embargo, un sector importante de esa colectividad, cuando llegó el momento, adhirió al nazismo. Roberto T. Alemann sostiene que "por única vez los alemanes afincados en el país se volcaron a la política, pero no lo hicieron para el bien de la Argentina, sino para propagar el partido nazi entre 1933 y 1944".[2]

La complejidad y diversidad de opiniones sobre el tema impide expresarse tan taxativamente como Alemann, pero es cierto que la neutralidad de la Argentina durante la Segunda Guerra Mundial por simpatías hacia el Eje o por otros intereses, posibilitó que una minoría importante participara activamente en las organizaciones nazis del país. Luego, las potencias vencedoras

1 Anne de Saint Sauveur-Henn, tesis doctoral, París, Universidad de la Sorbona, 1995.

2 Roberto T. Alemann, "Los alemanes en la Argentina", en *Todo es Historia*, n° 413, diciembre de 2001, p. 16.

las denunciaron ante el mundo como una estructura en la que participaban millones de personas.[3]

En cualquier caso la impronta germana en la Argentina resulta indeleble a poco que se escarbe en cada sector del quehacer nacional. Luego del legendario Ulrico Schmidl, que ofició como virtual cronista de la frustrada primera fundación de Buenos Aires, fue quizás Hans Varge, artillero de la expedición de Magallanes, el primer germano en arribar al que sería territorio argentino al pisar la Bahía de San Julián, provincia de Santa Cruz, en 1520. Durante la dominación española no faltó un grupo de alemanes que aportó sus oficios, en tanto que los padres jesuitas alemanes brindaron sus conocimientos, su arquitectura y su cultura a la educación en centros urbanos y misiones. Hasta pasada la mitad del siglo XIX el aporte germano a la sociedad y a la cultura argentinas puede considerarse poco relevante. Los Estados Unidos y, en menor medida Brasil y Chile, conformaban mejor las expectativas de los emigrantes alemanes y suizos.[4]

Don Vicente Pérez Rosales, explorador de la región sur de Chile, aconsejó a su gobierno promocionar

3 Por supuesto que no sólo la neutralidad argentina y la actividad de algunos miles de simpatizantes nazis fueron las razones excluyentes de los conflictos entre estas naciones: el encono personal entre el embajador de los Estados Unidos en la Argentina, Spruille Braden, y Juan Domingo Perón, sumados al posterior desempeño de Braden en la Secretaría de Estado norteamericana, signaron décadas de pésimas relaciones.

4 Roberto T. Alemann, "Los alemanes ...", ob. cit.

la inmigración germana, "raza" que a su juicio era "la más fornida, competente y laboriosa" para colonizar la región. De acuerdo con esos principios racistas el presidente Manuel Montt, junto a su ministro Antonio Varas, montó una oficina en Hamburgo para promocionar la emigración al sur de Chile. En 1851 llegaron a puerto los primeros dos barcos de inmigrantes alemanes de clase media. Fue desde Chile que llegaron a la Argentina los primeros colonos alemanes como Wilhelm Vallentin, fundador de la Colonia Friedland en Chubut, Máximo Schultz, quien fundó Paso Schultz, rebautizado Alto Senguer, Juan Plate, fundador de Nueva Lubeca, o los hermanos Carlos y Germán Wiederholt, fundadores de San Carlos de Bariloche. Con ellos llegaría también la comercialización de productos alemanes, a tal punto que incluso indios y peones utilizarían facones de la marca alemana Solingen.

Debe atribuirse al capitán alemán Hermann Eberhardt, quien conocía bien el territorio patagónico, el fomento de la colonización alemana de la región. Eberhard, capitán del barco *Malvinas* de la empresa alemana Cosmos, realizaba el trayecto Hamburgo-Punta Arenas, pero en 1885 decidió asentarse en la zona de Chimen Aike, al sur de Santa Cruz.[5] Al año siguiente llegaba desde Alemania su socio en el emprendimiento, Hans Hermann Bitsch, junto a su hermano Heinrich, para

5 Roberto Hosne, *En los Andes*, Buenos Aires, Editorial Planeta, 2000.

fundar la estancia Bella Vista, donde Hans vivía junto a su esposa Betty Detlof, a la que conociera en un viaje a Europa en 1912.[6] Betty Bitsch sería uno de los tantos alemanes que se afiliaría al *Opferring*, o "Anillo de Sacrificio", activa y fanática agrupación del partido nazi.

Al estallar la Primera Guerra Mundial, mientras el grueso de su flota se encontraba bloqueada en los puertos del norte, la Marina de Guerra alemana pudo abastecerse clandestinamente en puertos patagónicos de carbón, agua dulce y provisiones, hecho que le permitía mantenerse operativa y ganar batallas. Esos abastecimientos quedaron incuestionablemente documentados en el caso del *Dresden*, crucero alemán que se reabasteció el 21 de agosto de 1914 en Bahía Guanaco o Bahía San Cayetano, al sur de la provincia de Chubut. Ese punto está situado al sur de Camarones, actualmente conocido como Cabo Dos Bahías. Sin una gota de agua potable, alimentos o combustible debió aprovisionarse en la estancia La Península para continuar luego con la orden recibida de unirse a la flota imperial del Pacífico al mando del almirante Maximilian von Spee. El hecho fue relatado por algunos tripulantes del *Dresden*, y figura en mapas oficiales: "El día 31 recalamos en Guanaco Bay (o bahía Cayetano), donde el barco auxiliar *Baden* sacrificó dos vaquillas y cuatro terneros. Nuestras bodegas ya vacías, recibieron la carne fresca con ansiedad. Éramos muchos los que había que alimentar. También nos entregó carbón

6 Isabel Caminoa de Heinken, *Pioneros de la costa del Chubut*, Trelew, edición del autor, 2001.

y provisiones. En este puerto neutral estuvimos hasta el 2 de septiembre, fecha en que nos hicimos a la mar, siguiendo curso hacia el sur".[7]

Este sector, que pertenecía casi en su totalidad a estancieros alemanes, era visitado regularmente por barcos mercantes germanos que desde antes de la guerra cargaban y descargaban materiales y hacienda al abrigo de los fuertes vientos. El comodoro Martín Rivadavia ya había señalado a fines del siglo XIX la importancia de la zona de Bahía Gil como refugio de embarcaciones en caso de guerra. La región estaba comunicada con Buenos Aires a través de la Hamburg Süd-Amerika, en cuyos barcos los estancieros alemanes viajaban a su país natal o enviaban su producción de lana a Europa. Algunos de ellos llegaron a declarar que viajar a Alemania era más fácil que volver del puerto de Buenos Aires.

La mayor parte de los desembarcos se realizaba en la estancia Cabo Raso, pues poseía un excelente puerto homónimo de aguas profundas perteneciente al alemán Ricardo Fischer, íntimo de los capitanes de los barcos alemanes,[8] especialmente del comodoro Rolin, marino que gustaba explorar la región patagónica y que había traído las máquinas perforadoras con las que Fuchs descubriría petróleo en Comodoro Rivadavia. Fischer había llegado a la Argentina en 1880, a los 25 años,

---

7 María Teresa Parker, *Tras la estela del Dresden*, Santiago de Chile, Editorial Tusitala, 1995.

8 César Prieto, "El Partido Nacional Socialista Alemán en la Argentina", en *Todo es historia*, n° 148, septiembre de 1979.

proveniente de Leipzig. Tras algunos años en Buenos Aires, en 1896 se instaló definitivamente junto a su esposa en Cabo Raso. Vivía con gran estilo en su campo y viajaba continuamente a Alemania, a donde enviaría a sus hijos para que se educaran. Durante su juventud se había embarcado en la marina mercante alemana, por lo que hizo construir cerca de la costa de su estancia una torreta semejante a las de los barcos desde la cual observaba la llegada de las naves alemanas.

Lindante con la propiedad de Fischer se encontraba la estancia La Teutonia del hamburgués Karl Müller, que había llegado a la región en 1899. Administraba el campo su hermano Hermann. La Teutonia limita con la estancia La Maciega, donde se encuentra el Cerro Hindenburg, un excelente punto panorámico desde donde podía observarse el arribo de barcos.[9]

9 Justamente en esos años sería el encargado de La Maciega Mario Tomás Perón, que había llegado a la zona en 1899, por lo que su hijo Juan Domingo pasaría su juventud en estas tierras. En 1904 Mario y su esposa Juana Sosa –una india que sabía montar en pelo y hablaba araucano– partieron a Santa Cruz, pero en 1907 volvieron a Camarones mientras sus hijos estudiaban en Buenos Aires. Se instalaron a quince kilómetros de Camarones, en Punta Thompson, más precisamente en El Porvenir. El 10 de agosto de 1910, Mario Tomás Perón fue nombrado juez de paz. Ese año Juan Domingo ingresaba al Colegio Militar, pero en vacaciones viajaba a visitar a sus padres y a su amigo Alberto Robert, quien no sólo era dueño de una estancia en la zona donde se reabasteció el *Dresden*, sino que luego participó en una singular maniobra para instalar una

La Maciega, que constituyó el centro social de estos grupos familiares, sería adquirida en 1903 por los alemanes Emilio Grether y Julio Mitau, quienes designaron administrador a su compatriota Rodolfo Zahn, a su vez encargado de la estancia La Perla. Lo reemplazaría luego Augusto Meyers, también alemán, y agente de la empresa naviera Hamburg Süd.

Como era de esperarse, Grether no tardó en entablar amistad con Fischer. Tiempo después, en 1929, la estancia pasaría a manos de Rodolfo Bennewitz, quien estaba casado con Marga Tempel Drolshagen de Hannover, matrimonio que gustaba realizar frecuentes viajes a Europa. Al regresar desembarcaban en Puerto Madryn para visitar a familias alemanas amigas, antes de llegar por tierra hasta su estancia. En su ausencia la propiedad quedaba en manos del noble alemán Wilhelm von Winterhalder. Al regresar de un viaje a Alemania en 1934, von Winterhalder se haría cargo de la administración de diversos campos alemanes entre los que se encontraban los de la baronesa Von Thyssen, quien en 1939 se radicó en casa de Winterhalder a raíz de los problemas que le ocasionó el comienzo de la guerra, concretamente las acciones de su grupo familiar en Alemania.[10]

---

base para los nazis en su estancia, con depósitos de combustible incluidos. La iniciativa recibió el rechazo de la cúpula de inteligencia nazi, que a toda costa buscaba continuar sus actividades de la forma menos notable que le fuera posible.

10 El grupo industrial Thyssen financió gran parte de las actividades políticas de Hitler.

Como muestra de agradecimiento la baronesa heredó a Winterhalder sus propiedades.

La estancia San Jorge, que goza de una excelente vista al mar, sería adquirida por los hermanos suizo-alemanes Carlos y Teófilo Tschudi, donde fundarían la estancia El Verdín. Tiempo después, en 1904, Elisa Tschudi, hija de Carlos y Elisa Hauser, se casaría con Roldolfo Zahn, estrechando aún más las relaciones entre estas familias. Su hermana, que contrajo nupcias con Jorge Kirchner, optaría en cambio por un futuro lejos de su familia, al tiempo que su hermano Iwan Tschudi se casaba con la alemana Elena Thiede, quien publicaba avisos en el periódico filonazi *Freie Presse*. Asociado con los Tschudi, Fischer y los Miche, estaba el acaudalado alemán Julio Schekly, fundador de San Jorge, que había llegado a la región en 1892 desde las Islas Malvinas. Había sido propietario de la estancia de Cabo Raso hasta que se la vendió a su íntimo amigo Ricardo Fischer. Miche era suizo, del cantón alemán, y se había casado con la alemana María Schulze, quien posteriormente se instalaría en la estancia La Berna, además de adquirir la estancia El Puerto, que cuenta con un amplio frente sobre el Atlántico. La hermana de María, Ania Schulze, se casaría en 1922 con Salvador Lacoste. En 1935 dejó por años la estancia La Cantera al cuidado del alemán José Pögler, cuya familia residía en Cabo Raso.

Un caso especial fue el del coronel alemán Walter Otto Bocking, dueño desde 1908 de la estancia La Margarita, vecina a La Maciega. El coronel decidiría luchar por

Alemania una vez comenzada la Primera Guerra, hasta que falleció en Alsacia en 1917. Otros estancieros alemanes de la zona fueron Friedrich von Eylenstein, propietario de La Leonor, y Karl Steiger, dueño de La Perla vieja. Cierto grado de endogamia fue característico de estas familias, algo común entre terratenientes y aristocracias, pero también compartieron la costumbre de mantener la educación alemana en sus hijos a través de profesores contratados con ese fin, y enviándolos luego a completar su formación a Alemania. Para mantener vivo el nacionalismo en su descendencia llegaban a viajar a la madre patria para que sus hijos nacieran como ciudadanos alemanes.

No todos fueron estancieros y terratenientes, sino que también se radicaron en la Patagonia profesionales como el agrimensor Marcos Pfefferman, entre otros. Pero de todos los que residieron en la región es Cristian Lahusen –además de sus hijos– el alemán que más importa para los hechos sobre los que tratan estas páginas. En 1881 había fundado la casa compradora de lanas en Buenos Aires, y al expandirse la ganadería ovina en la Patagonia se conectó con estancieros y recorrió minuciosamente la zona. De esta forma fue abriendo sucursales –la primera inaugurada en Comodoro Rivadavia– que funcionaban como almacenes de ramos generales y, al mismo tiempo, como centros de compra de lanas y cueros. Sus redes comerciales serían ampliadas por su hijo Juan.

En resumen, hacia el comienzo de la Segunda Guerra Mundial casi el 20 por ciento de la tierra patagónica estaba en manos de alemanes. Una serie de adquisiciones y fusiones estratégicas habían conformado un país dentro de otro sobre la costa atlántica. Sólo en Chubut los alemanes poseían una extensión superior a la provincia de Tucumán. Este "país" contaba con alrededor de doscientos kilómetros de costa desde las proximidades de Punta Tombo hasta Bahía Bustamante. Tenían correo, escuelas, moneda, compañías de navegación, aéreas, seguridad y puertos propios. Barcos de la petrolera Astra, cuya destilería se encontraba a sólo algunas horas de navegación del nuevo "país", proveían el combustible a precios por demás lucrativos. Se producían allí todo tipo de alimentos. Carnes, frutas, verduras y agua potable fluían de continuo hacia barcos mercantes, de guerra y los temibles sumergibles. Otros campos de dueños germanos rodeaban a su vez al "país" a fin de proteger sus espaldas e informar de visitas inoportunas.

Todo indica entonces que fue enorme la importancia estratégica del Atlántico Sur para los alemanes primero y para los nazis después. En alguna medida el resultado de la guerra dependía de la obtención de una base segura donde reaprovisionar a su flota de superficie, y sobre todo a los sumergibles, y de controlar el Estrecho de Magallanes y el paso de Drake, esto es, la comunicación entre los dos océanos más grandes de la Tierra, en manos de los británicos. Esa situación explica el dinero invertido en el *Etappendienst* local –el Servicio Secreto de Aprovisionamiento en el exterior–, los intentos por ocupar las Malvinas –desde la época en que el germano Louis Vernet fue su gobernador–, los puertos clandestinos en la Patagonia y, como se verá en su momento, el proyecto de fundar bases en la Antártida.

Huyendo hacia la Patagonia. El archiduque de Austria Juan Salvador de Habsburgo-Toscana

Desde su descubrimiento por los europeos, la Patagonia fue considerada el fin del mundo, un lugar casi mágico. El mítico Estrecho de Magallanes, el Cabo de Hornos, los brumosos canales, el cruce interoceánico evocaban ante todo posibilidades de incomparables y peligrosas aventuras. Otros ocuparon la región guiados por las posibilidades de progreso, y algunos consideraron que era el lugar ideal para ocultarse, sobre todo algunos políticos y miembros de la realeza europea. La creencia de que Hitler terminó allí sus días –que es la versión más consistente y oficial para los Estados Unidos y la ex Unión Soviética– no puede considerarse una mera leyenda, sino que se sostiene en innumerables y nuevos documentos que se van conociendo a medida que los Aliados se dignan a desclasificarlos. Pero en todo caso Adolf Hitler o algunos de sus colaboradores cercanos no habrían sido los primeros fugitivos en simular su muerte para instalarse cómodamente en alguna estancia sureña. El primer prófugo patagónico de importancia política fue Fred Otten, nombre que ocultaba al archiduque de Austria Juan Salvador de Habsburgo-Toscana. Era hijo de Leopoldo II y de la princesa Margarita de las Dos Sicilias. Como militar, por derecho de sangre, alcanzó el grado de general y tuvo a cargo el segundo cuerpo del ejército imperial. Además fue músico, aunque de éxito y talento relativos.[11] El escándalo se desató cuando el archiduque criticó a la jerarquía del ejército y los privilegios de casta en su panfleto *Vexation au Education*. Además organizó, con apoyo de su primo Rodolfo de Habsburgo, hijo primogénito del monarca, una conspiración para derrocar a su enemigo el emperador Francisco José. Pero la conjura fue descubierta y Juan Salvador perdió su grado militar y sus dignidades nobiliares. Recluido en su mansión d' Horth, que exhibía una valiosa colección de arte y armaduras medievales, Juan Salvador recibió la noticia de la muerte –casi seguro un asesinato político– de su primo Rodolfo y de su amante la baronesa María Vetsera. El 16 de octubre de 1889 el emperador le quitó su condición de austríaco y lo obligó a exiliarse.

El 26 de marzo de 1890 partió de Portsmouth, Inglaterra, a bordo de la *Santa Margarita*, como único pasajero y además dueño de la goleta, un austríaco llamado Juan Orth –nombre que Otten adoptó de su mansión luego de perder la ciudadanía–, con destino a Buenos Aires. Desde allí Juan Orth, o el archiduque Juan Salvador, escribió el 10 de julio a su amigo Paul Heinrich que partía en la *Santa Margarita* hacia Tierra del Fuego para explorar la región. Desde entonces su rastro se

---

11 Estrenó en la Ópera de Viena su trabajo *Los Asesinos*.

pierde: el emperador Francisco José declaró oficialmente su desaparición "En un naufragio sobre los arrecifes del Cabo de Hornos". Sería un descendiente de Santiago de Liniers el encargado de descubrir la verdad, aunque no la divulgó: Jean de Liniers, VI conde de Buenos Aires, averiguó que el archiduque vivió en la estancia Cañadón Largo situada al pie del volcán Fitz Roy. Eran sus acompañantes ocasionales el marino inglés Nicholson y el geólogo alemán Sand-Jack.

El mito del Plan Andinia

Pero no todos los que llegaban a la Patagonia eran fugitivos. Muchos pensaban que era tierra de oportunidades y hacia allí enfilaron como pioneros con sus familias a cuesta mientras los estancieros pampeanos viajaban a París en busca de burdeles de lujo. No era un desafío menor. Por las características climáticas de la región, con fríos extremos, no era posible desarrollar allí los cultivos típicos de la región pampeana, ni promover en consecuencia la crianza de bovinos, al menos de las razas en uso por entonces.

Cuatro personajes, todos extranjeros, destacan por su esfuerzo personal para colonizar las remotas regiones sureñas. El británico Enrique Reynard trajo trescientas ovejas de las Malvinas permitiendo con su innovación que millones de hectáreas antes improductivas comenzaran a tener valor económico nada desdeñable. Al adaptarse perfectamente al clima y a los forrajes, esa pequeña majada fue la base de la riqueza ganadera de la región.[12]

El portugués José Nogueira, el asturiano José Menéndez y el lituano Elías Braun, aun antes de que las tierras se valoraran por la innovación de Reynard, desarrollaron todo tipo de actividades comerciales, en general desde la ciudad chilena de Punta Arenas. Fueron cazadores de lobos marinos, carniceros, pescadores, armadores de buques, mineros –oro y carbón–, rescatistas de naufragios, productores agropecuarios, colonizadores y comerciantes de pieles y plumas exóticas que trocaban con los indios.[13]

Mientras intentaban consolidar los planes de la *Weltpolitik* en el sur americano, los germanos montaron sobre la fe judía de Elías Braun la patraña del Plan Andinia, un supuesto "proyecto judío" para apoderarse de la Patagonia. Influyó el hecho de que Braun oficiara como cónsul del zar ruso, pero sobre todo la enorme cantidad de tierras –en su mayoría en territorio chileno–,

12 Estas materias primas eran de suma importancia para Europa, especialmente por la demanda de los telares mecanizados, y para la fabricación de ropa adecuada para los grandes ejércitos, situación que se reflejaba en los precios: en épocas de paz la lana se comercializaba al diez por ciento del valor alcanzado durante el clímax bélico.

13 En lo que respecta a emprendimientos germanos y británicos, fueron pioneros la naviera alemana Kosmos y la Pacific Steam Navigation Company. Ambas, que en apariencia sólo tenían fines comerciales, durante la Primera Guerra Mundial abastecerían a sus marinas de guerra.

bienes y empresas que el lituano y su descendencia habían logrado acumular. El hijo de Elías, Mauricio, se casó con Josefina, hija de José Menéndez, con lo cual el patrimonio familiar se acrecentó considerablemente: los Braun y los Menéndez-Behety en sociedad fueron empresarios –seguros, comunicaciones, frigoríficos, importación y exportación–, armadores navales, poseían barcos y muelle propio en Punta Arenas –por entonces enclave monopólico hasta la apertura del Canal de Panamá en agosto de 1914– y más de tres millones de hectáreas en estancias repartidas entre el sur de Chile, Chubut, Tierra del Fuego y Santa Cruz.

La numerosa prole de los Braun-Menéndez no tardaría en concretar enlaces con familias como Cantilo Achával, Agote, Campos Menéndez, Caminos, Estrugamou, Bidau Lastra, Lasala Boffil y Seeber Demaría por lo cual, como puede observarse, la "dominación judía" devino "dominación cristiana", hecho que no impidió, una vez más, la utilización del judaísmo como chivo expiatorio para encubrir a otros interesados en la Patagonia, en este caso los alemanes, que necesitaban obtener alguna base segura para reaprovisionar a sus naves en el Atlántico Sur.

Yacimientos Petrolíferos Nazis

El 13 de diciembre de 1907 tendría lugar un descubrimiento crucial en tierras patagónicas que cambiaría radicalmente la importancia estratégica de ese territorio. Ese día, en las cercanías de la actual Comodoro Rivadavia, luego de haber realizado diversas perforaciones en busca de fuentes de agua dulce, el alemán José Fuchs haría brotar de las entrañas tectónicas el preciado elixir negro.[14] Tras arduos trabajos y fuertes inversiones, la recompensa había llegado con creces, y no en vano se habían traído los equipos de Alemania.[15] Pero el descubrimiento, además de presagiar prosperidad para esas tierras, la transformaría en punto de conflicto situado en el centro de la mira de las potencias mundiales. Como era de esperarse, en muy poco tiempo tanto el gobierno alemán como el británico supieron de tamaño descubrimiento y ya comenzaban a pergeñar planes para apropiarse de la nueva riqueza patagónica, con la atractiva ventaja de tratarse de un territorio ignorado por su gobierno que, no libre de ideas racistas, aceptaría la instalación de inmigrantes europeos en desmedro de los auténticos habitantes de esas tierras, que fueron masacrados despiadadamente.

Por esa época la invención alemana de los motores Diesel y Otto dejarían lentamente al carbón para los hombres de las cavernas al tiempo que las empresas dedicadas a la explotación del petróleo ocuparon el centro de la consideración de las políticas nacionales. Es

---

14 Ramón Gutiérrez, Liliana Lolich, Hugo Beck, Graciela Viñuales y Luis Müller, *Hábitat e inmigración. Nordeste y Patagonia*, Buenos Aires, Ediciones CEDOAL-Instituto de Investigaciones Geohistóricas, CONICET, 1998.

15 Manrique Zago, *Presencia alemana en la Argentina*, Buenos Aires, Manrique Zago Ediciones, 1992.

así como los alemanes instalarían en suelo patagónico, en plena guerra, más precisamente en 1915, la compañía de petróleo Astra, a sólo 20 kilómetros de Comodoro Rivadavia. Naturalmente los británicos no se quedaron atrás, de modo que desembarcaron con la Compañía Ferrocarrilera de Petróleo. Frente a ambas potencias imperialistas la Argentina era representada por Yacimientos Petrolíferos Fiscales, que detentaba la mayor producción de petróleo a escala nacional.[16]

Astra sufrió, según diversas fuentes, una fuerte infiltración de elementos nazis. Contaba con alrededor de 550 empleados, muchos de los cuales pertenecían a la colonia alemana que en 1936 inauguraría, frente al campamento, un monumento en homenaje al general San Martín, en una ceremonia en la que las banderas

---

16 Un año antes de que estallara la Segunda Guerra Mundial, la producción fiscal alcanzaba 1.279.000 m³ de petróleo, mientras la privada era de 964.000 m³. Los alemanes conocían la riqueza petrolera argentina pues explotaban yacimientos tanto en Comodoro Rivadavia, a través de la empresa Astra, como en el oeste, donde Karl Fader, padre del conocido pintor, era empresario petrolero. Más al norte Carmelo Santerbo descubrió petróleo, pero pese a los enormes esfuerzos no logró mantener la explotación. Sí lo consiguió Francisco Tobar, aunque con medios primitivos. A pico y pala, a lomo de mulas, filtrando el petróleo de la arena, comenzó otra explotación. Enterada de esos pormenores la Standard Oil intentó acciones legales ya que le habían concedido la misma zona que explotaba Tobar. Pero éste cedió sus derechos a YPF neutralizando las intenciones de la Standard. Sin embargo, la situación presagiaba problemas mayores.

argentinas se confundían con los estandartes nazis. El campamento de Astra era como una pequeña ciudad, prácticamente autosuficiente, con viviendas para el personal, lugares de esparcimiento, sistema propio de seguridad y vigilancia de las instalaciones. Asimismo, el campamento contaba con un campo de planeadores y un taller para repararlos, piloteados por los alemanes. La asociación de volovelistas recibió el nombre de Club de Planeadores Cóndor, y fue fundado el 12 de diciembre de 1934 por un grupo de ingenieros y técnicos alemanes de la Sociedad Petrolera Astra.[17] Su primer planeador fue un regalo especial del propio Hitler, enviado especialmente desde Alemania en un contenedor.

Diversos rumores susurraban en Comodoro Rivadavia que los alemanes se estaban organizando militarmente y que realizaban entrenamientos en las inmediaciones de la costa, generalmente en Bahía Solano, 40 kilómetros al norte de Comodoro Rivadavia. Algunas versiones hablan inclusive de ejercicios con armas y de una fuerte simbología nazi, aunque no han logrado probarse rotundamente, más allá de que en ocasiones realizaban caminatas en formación en las inmediaciones del campamento.

17 Manuel Fentanes, "Los cincuenta años del Club de Planeadores Cóndor", en *Revista Aerospacio*, Buenos Aires, enero de 1985. También José Cuadrado, "El vuelo sin motor en la República Argentina", Buenos Aires, Asociación de Veteranos de Vuelo a Vela de la Argentina, Agencia Periodística CID, 1996. El primer director del club fue el austríaco Francisco Allesch.

Sólo se tiene confirmación de campamentos organizados por los alemanes en la costa cerca de Bahía Solano, que se caracterizaban por el orden y la disciplina, y en los que se entrenaba a los más jóvenes en práctica de escalada con mochila al hombro en las escarpadas estribaciones a orillas del mar. Por otro lado, los colonos solían celebrar sus festividades en un lugar de esparcimiento al aire libre conocido como *Thingplatz*. Otra versión no confirmada afirma que en este lugar, más precisamente en una cavidad de los acantilados costeros conocida como Rocas Coloradas, se ocultaba un faro y un transmisor de radio clandestino utilizado para comunicarse con submarinos alemanes. De hecho allí existió en los años de guerra un bungalow que servía de refugio y que ha desaparecido con el paso de los años y la inclemencia del tiempo.

La participación y colaboración de algunos sectores de la colectividad germana con el Partido Nacional Socialista en la Argentina son anteriores, en mucho, a la llegada de Hitler al poder. Pueden acreditarse relaciones cerradas desde la misma fundación del NSDAP. Pero fue en enero de 1938, con la visita del acorazado alemán *Schlesien,* cuando las actividades del nazismo en la Patagonia, especialmente en Comodoro Rivadavia, se activarían decididamente. El *Schlesien* arribó a Comodoro Rivadavia luego de visitar Puerto Madryn y otras localidades patagónicas. En los documentos oficiales alemanes es sumamente difícil encontrar referencias a estas escalas. Sobre el desembarco de marineros y oficiales del acorazado y las reuniones sociales que mantuvieron con los colonos alemanes existen sin embargo filmaciones que muestran claramente las banderas argentinas cruzadas con las nazis. El acorazado se detuvo en Comodoro Rivadavia por siete días, durante los cuales se realizó una intensa labor de campaña política y de relaciones públicas, tanto con los colonos alemanes como con las autoridades argentinas. Varios marineros pernoctaron en casa de sus compatriotas residentes en el kilómetro 8 y se celebró una reunión a bordo del acorazado, a la que asistió la comisión directiva del Club Social de la ciudad. Friedrich Fleischer, comandante de la nave, y su segundo, el capitán de fragata Klingher, les obsequiaron tarjetas recordatorias. Luego los marineros recorrieron la ciudad cantando el himno *Deutschland uber Alles* –Alemania sobre todos– y se invitó a los pobladores a recorrer el barco y diversos puntos de la costa en lanchas del acorazado. Tras la partida del *Schlesien* no fue difícil encontrar en Comodoro Rivadavia todo tipo de publicaciones de propaganda nazi.

La visita del acorazado se potenciaba con nítidas emisiones radiales a favor del nazismo provenientes de Berlín, que se captaban en los numerosos aparatos receptores de la zona y que iban dirigidos a todos los alemanes residentes en América del Sur. Durante la guerra la comunidad nazi de Comodoro Rivadavia se reunía en un local llamado Zeppelin, en la calle 9 de julio y San Martín. Brindaban por las victorias del *Führer* mientras debatían cómo incrementar el número de adeptos a través de diversas organizaciones. Tomaban la precaución de comunicarse en alemán, aunque cuando la policía tuvo noticias de las reuniones las prohibió, y designó una guardia permanente en el local. Este obstáculo no impidió que los encuentros continuaran, aunque en forma clandestina, incluso hasta después de la guerra. Finalmente el acorazado partiría para visitar las colonias alemanas del sur de Chile, no sin antes comisionar a dos residentes alemanes para que recibieran cierta correspondencia remitida desde Alemania, y transportarla luego en vehículo hasta distintos puertos del Pacífico.[18]

En esta trama reaparece el piloto alemán Paul Rohlandt quien, contratado por Lufthansa, impartiría los cursos para vuelos nocturnos a los pilotos del LAB en Bolivia. Rohlandt se encontraba en la Argentina desde 1937, donde piloteaba un Junkers Ju-52 de Aeroposta con el que cubría la ruta Buenos Aires-Río Grande, en Tierra del Fuego, con escalas en Bahía Blanca, San Antonio Oeste, Trelew, Comodoro Rivadavia, Puerto Deseado, San Julián, y Río Gallegos.[19] Los vuelos patagónicos de Aeroposta se habían suspendido en junio de 1931 al fracasar un pedido de subvención estatal, pero un decreto del Ejecutivo autorizó a Aeroposta la combinación aeropostal de este trayecto con el servicio del Sindicato Cóndor.[20]

---

18 Carlos Moreno, *Patagonia punto crítico*, documento accesible en la biblioteca del Museo del Fin del Mundo de Ushuaia.

19 Augusto V. Bousquet, *La Aeroposta Argentina y el correo aéreo*, Buenos Aires, Sociedad Argentina de Aerofilatelia, 1992.

20 Rufino Luro Cambaceres, "Aporte al historial de la aviación comercial argentina", en *Revista Nacional Aeronáutica y Espacial*, Buenos Aires, julio de 1963.

La primera llevaba hasta Buenos Aires el correo proveniente de la Patagonia, y la segunda se encargaba del transporte hacia Europa, Chile y Brasil. De ese modo los alemanes disponían de un servicio de correspondencia prácticamente propio desde el sur de Chile, atravesando toda la Patagonia, hasta Alemania. Desde diciembre de 1939 ese correo paralelo funcionaría además desde la ciudad de Bariloche, al inaugurarse el tramo que unía esa ciudad con San Antonio Oeste. La correspondencia que salía de Berlín en aviones de Lufthansa llegaba a Brasil, allí era recogida por los aviones del Sindicato Cóndor que la transportaban hasta su aeródromo de Quilmes, desde donde Rohlandt la transportaba hasta Comodoro Rivadavia. Allí los alemanes la repartían en las distintas colonias alemanas de la Patagonia chilena y argentina. Se trataba de un sistema que se usaba para impartir órdenes y recolectar información que escapaba a las manos aliadas, que resultaba difícil de infiltrar, y que se realizaba en tiempos relativamente cortos: en plena guerra las "valijas diplomáticas" demoraban tan sólo tres días en viajar de Europa al sur de la Argentina. El Sindicato Cóndor estaba asociado además con la subsidiaria de Hamburg Süd-Amerika, la empresa naviera Antonio Delfino, cuyo director homónimo había sido reclutado por espías alemanes.

El 14 de octubre de 1937 se inauguró la ruta Buenos Aires-Río Grande. Eran las 9.40 en el aeródromo del Sindicato Cóndor en Quilmes cuando despegaba el Junkers de Aeroposta piloteado por Rohlandt, acompañado por Oscar Friedel y Durval Barros, del Sindicato Cóndor, como radio-operadores. Los despidieron, entre otros, el filogermano capitán de navío Marcos Antonio Zar, el secretario de la Embajada alemana Conrad von Schubert, y el personaje central de la trama patagónica y de las actividades militares alemanas en la Argentina: el espía alemán Dietrich Niebuhr era públicamente capitán de fragata, agregado naval y aeronáutico de la Embajada de Alemania, pero era además el jefe regional de la organización secreta *Etappendienst*.

Combustible para la *Kriegsmarine*

El Tercer Reich carecía de dos materias primas esenciales de una economía moderna y para el sostenimiento de una guerra: hierro y petróleo. Al respecto Winston Churchill, relatando una reunión entre ministros franceses y el primer ministro británico Chamberlain, afirma: "[Chamberlain] Agregó enseguida que Alemania tenía dos debilidades: su aprovisionamiento de hierro y de petróleo. Las principales fuentes abastecedoras de estos minerales estaban situadas en los extremos opuestos de Europa. El hierro venía del norte. El primer ministro expuso con precisión las posibilidades de interceptar el abastecimiento de mineral de hierro desde Suecia. Se ocupó además de los yacimientos petrolíferos de Rumania y Bakú que debían serle negados a Alemania, de ser posible por vías diplomáticas. Escuché estos poderosos argumentos con creciente placer. No había advertido cuán completamente de acuerdo estábamos Chamberlain y yo".[21]

De manera tal que toda la contienda quedaría signada a fuego por los esfuerzos nazis para conseguir esos objetivos, y en las acciones de los Aliados para impedirlo.[22] Como Alemania carecía de bases internacionales para una fuerza de superficie, la Argentina adquiría para el Tercer Reich una importancia estratégica crucial, ya que sus costas recónditas brindaban la posibilidad de abastecer a las naves alemanas de petróleo, alimentos y agua dulce, o mediante el artilugio de enviar petroleros a alta mar desde sus puertos en operaciones clandestinas. Al respecto, dice Churchill: "Antes su comercio [de las repúblicas sudamericanas] se había visto obstaculizado por las actividades del incursionista alemán, *y sus puertos habían sido utilizados por los buques que los reabastecían y que le proporcionaban informaciones".*[23]

Las afirmaciones de Churchill e infinidad de documentos oficiales prueban la valía de las costas de América del Sur para los germanos, en particular las argentinas, frente a las cuales, y no casualmente, la marina alemana

21 Winston Churchill, *La Segunda Guerra Mundial*, tomo I "Se cierne la tormenta", Buenos Aires, Editorial Peuser, 1958.

22 Debe observarse que la situación causaba terror en la población alemana no nazi, ya que presagiaba nuevamente una guerra en dos frentes, muy distantes uno de otro, y con el recuerdo fresco de la terrible derrota sufrida en la Primera Guerra Mundial en condiciones similares.

23 Ob. cit.

tuvo sus más grandes enfrentamientos con la británica, desde la Batalla de Coronel, el sangriento encuentro en Malvinas o la Batalla del Río de la Plata.

Vale decir que, además del oro rapiñado y llegado posteriormente a esas tierras en secreto –cuyo origen comprende desde dientes de oro extraídos casi siempre a judíos asesinados luego junto a gitanos, comunistas y todo tipo de perseguidos por cuestiones raciales, políticas o religiosas, hasta el proveniente de tesoros de países invadidos–, el aprovisionamiento clandestino de víveres y combustible a naves de superficie y sumergibles se transformó en un negocio fabuloso para los actores –el petróleo debía pagarse a precio de oro–, en general nazis vernáculos, cuyas fortunas crecieron en forma misteriosa.[24]

El reabastecimiento del *Dresden* en Chubut durante la Primera Guerra Mundial no fue en modo alguno un caso aislado, sino que formó parte de un plan alemán concebido por la organización *Etappendienst*. En 1911 Alemania había creado el *Etappendienst*, cuya misión era recoger información sobre buques mercantes y de guerra que amarrasen en puertos extranjeros donde la

---

24 Cabe resaltar que durante su gobierno, el presidente Carlos Menem contrató, a través de la Comisión para el Esclarecimiento de las Actividades Nazis en la Argentina (CEANA), a un oscuro historiador canadiense, Ronald Newton, para negar oficialmente la importancia estratégica de la Argentina durante la Segunda Guerra Mundial, esforzándose por contrariar las innumerables e incuestionables evidencias históricas en sentido contrario.

organización hubiera destacado agentes, y que en caso de guerra debían encargarse del abastecimiento clandestino, desde países neutrales, de barcos alemanes que actuaran alejados de sus bases. Utilizó básicamente al personal alemán de las compañías de navegación, petroleras, o de cualquier clase de firma de esa nación que contara con agentes o corresponsales en el extranjero, y también a germanófilos no alemanes.

Durante la Primera Guerra Mundial ese servicio fue crucial para la escuadra alemana del Pacífico del almirante Graf Spee, así como para corsarios y submarinos. Al terminar la guerra, en 1918, la organización se disolvería, pero sería reactivada en 1927 por el almirante Wilhelm Canaris, aunque el Servicio Secreto como tal habría funcionado desde 1920. Alemania había perdido sus colonias, ya no contaba con lugares propios para el reabastecimiento de su marina ni como proveedores de materias primas, aunque el Tratado de Versailles permitía a Alemania disponer de un reducido número de agentes navales en el extranjero. Ese resquicio impulsó el *Etappendienst*. Canaris conocía bien el suelo patagónico: había sido oficial del *Dresden*, hundido en Chile, y había huido de su internación en Chile a través de la Argentina. No fue coincidencia por lo tanto su estadía en la Argentina en 1928, un año después de reflotar el *Etappendienst*.

A la nueva organización se le había encomendado desde 1931 preparar instalaciones para reaprovisionar y reparar a los corsarios, submarinos y buques "rompedores de bloqueo", además de informar sobre los movimientos navales de todas las naciones, envenenar la carga de cargueros enemigos y realizar tareas de inteligencia comercial y propaganda en la prensa local. Dentro del más riguroso secreto Canaris volvió a establecer vínculos con los antiguos miembros de la organización. Así, en 1931, el director gerente de la importante compañía naviera alemana Norddeutscher Lloyd decidió afiliarse al *Etappendienst*, tras lo cual otras compañías navieras estuvieron dispuestas a cooperar, bajo estricto secreto de contadas personas.

Los oficiales de los barcos de guerra que se habían reaprovisionado en aguas neutrales durante la guerra fueron los encargados de entrenar a los agentes de la organización, de forma que utilizaran lo indispensable el correo y las transmisiones en clave. Para comunicarse durante tiempos de paz los agentes enviaban cartas codificadas a una casilla postal de Berlín, mientras que durante la guerra utilizaban canales diplomáticos. Tanto la Hamburg-Süd como la HAPAG, grandes empresas navieras alemanas, siguieron el camino de la Norddeutscher Lloyd, de manera que en cada uno de sus barcos viajaban guardias nazis desde 1935. Los integrantes de la organización serían en su mayoría ciudadanos alemanes en el extranjero, generalmente empleados en la industria marítima, que prestarían su servicio por patriotismo. La organización se financiaba con fondos de las compañías navieras alemanas, sin que los servicios de inteligencia aliados los detectaran.

En la antesala de la Segunda Guerra Mundial las operaciones del *Etappendienst* se limitaron al abastecimiento de buques de guerra, al tráfico de mercancías estratégicas o destinadas al espionaje que llegaban o salían de Alemania a través de los forzadores del bloqueo aliado. La organización no funcionaba en países considerados enemigos de Alemania en caso de guerra. Operó básicamente en México, América del Sur, Asia Oriental y España.

Según Werner Stöphasius, jefe del *Etappendienst* desde 1937, el mayor éxito de la organización se consiguió en la Argentina, donde se equipó a petroleros que reabastecieron a los acorazados *Admiral Scheer* y al *Graf Spee*.[25] También de Brasil partieron barcos utilizados para el reabastecimiento de corsarios y submarinos alemanes. Zarpaban con un destino supuesto al cual nunca llegaban, sino que luego de cumplir su misión esperaban en alta mar el tiempo suficiente, para regresar al puerto de origen sin levantar sospechas. Ninguna de esas naves fue atrapada ni descubierta.

El jefe local o regional de la organización solía ser el agregado naval alemán. En la Argentina tal cargo correspondió al capitán de navío retirado Dietrich Niebuhr. Al mismo tiempo trabajaba para la Compañía Argentina de Armas (Coarico), fundada en Buenos Aires

---

25 Como se leerá en el capítulo correspondiente, las aseveraciones de Stöphasius quedan avaladas, entre otros casos, por los planos de la Batalla del Río de la Plata presentados por el propio Churchill en su libro ya citado, en el que puede observarse la ruta del acorazado *Graf von Spee* partiendo de las costas uruguayas hacia alta mar, y no, como mencionan otras versiones erróneas, desde el Atlántico hacia la costa uruguaya.

por la firma germana Staudt & Co., con participación de Krupp y Siemens-Schuckert, con el fin de promover la venta de armas alemanas. Al final del conflicto esas empresas fueron incluidas en el listado del Departamento de Finanzas de los Estados Unidos como sociedades que lavaron dinero nazi. Niebuhr ya había estado en la Argentina en 1930 por negocios particulares con su primo Karl, director de dieciocho corporaciones de propiedad alemana, entre las que se encontraba Lahusen y Cía. Ltda., empresa que en 1939 poseía gran cantidad de instalaciones y depósitos diseminados por toda la Patagonia. Luego de la guerra Karl se ocuparía de la filantrópica tarea de facilitar vivienda y ayudar en sus negocios al infame criminal Josef Mengele.[26]

En 1932 Niebuhr ya se había transformado en algo así como el agregado naval informal del ministro alemán, y recomendó a otro alemán llamado Ensign Rodewald como encargado de la organización en la ciudad de La Plata, además de reclutar como agente del *Etappendienst* a Thilo Martens. En 1936 Niebuhr viajó a Hamburgo donde fue reclutado por el servicio de inteligencia naval, el *Abwher –Amt Auslands Nachrichten und Abwher–*, División de Informaciones del Exterior y de la Defensa. El almirante Wilhelm Canaris, jefe del servicio, lo designó administrador residente de contrainteligencia militar conjunta, empleando la cobertura de agregado

---

26 Jorge Camarasa, *Los nazis en la Argentina*, Buenos Aires, Legasa, 1992.

naval y aéreo con responsabilidad en la Argentina, Paraguay, Brasil, Uruguay y Chile. Durante su estadía en Alemania Niebuhr reclutó a Rudolf Hans Stolz como responsable del *Etappendienst* en Río de Janeiro, y a Karl Deckert para La Plata. Niebuhr se oponía al sabotaje por razones estratégicas, así que se enfureció cuando otro nazi fanático, Wilhelm Lange, hizo explotar una bomba en el barco británico *Gascony* en el puerto de Buenos Aires en junio de 1940. Lange moriría en una cárcel argentina en 1944, pero su impertinencia determinó que Niebuhr cancelara la ultrasecreta Operación Polo Sur, una unidad de sabotaje de la *Abwher* para América del Sur.

Por su parte, Thilo Martens pertenecía a una familia de marinos de Bremen y, conforme a la tradición familiar, sirvió en la Marina alemana durante la Primera Guerra. Fue otro de los tantos alemanes llegados a la Argentina antes de la Segunda Guerra para desempeñarse como hombres de negocios bajo estrecha vigilancia de los servicios de espionaje tanto norteamericanos como británicos, pues suponían que los nuevos empresarios alemanes apoyarían económicamente a Alemania durante la guerra. En Buenos Aires era agente del *Abwher* y representaba a la empresa naviera Norddeutscher Lloyd que, como ya se mencionó, actuaba en el marco del *Etappendienst*. Al estallar la guerra, en septiembre de 1939, Martens se presentó a sus superiores en Berlín para solicitar su incorporación al servicio activo, pero Canaris lo persuadió de que continuara con sus actividades de inteligencia en Buenos Aires, mucho más valiosas que el servicio que pudiera prestar como marino. Regresó a la Argentina vía Suecia y Norteamérica sin inconvenientes, ya que disponía de pasaporte argentino. Entre las acciones más relevantes desempeñadas por Martens y Niebuhr durante la guerra puede contarse la fuga de algunos tripulantes del acorazado *Admiral Graf Spee* internados en la Argentina luego de que el barco fuera hundido por su tripulación el 17 de diciembre de 1939 frente a Montevideo. Ya durante el traslado de marineros del *Graf Spee* de Montevideo a Buenos Aires había intervenido la empresa Hamburg-Süd –a través de su barco *Tacoma*–, y pequeñas embarcaciones de la naviera de Antonio Delfino, reclutado por Martens para la organización. El *Tacoma* sería posteriormente internado en Uruguay aunque uno de sus tripulantes, Ulrico Daue, escaparía para desempeñarse entre 1943 y 1944 como radiotelegrafista de la red de espionaje alemana en Buenos Aires.[27]

27 Otros hombres reclutados por Martens fueron Rodolfo Hepe y Friedrich Schulz-Hansmann, agente del Norddeutscher Lloyd en Santiago de Chile, que llegaría a Buenos Aires en 1940 y moriría bajo custodia policial en diciembre de 1945. También Claus Dornier, hijo del fabricante de aviones. Otro alemán destinado al *Etappendienst*, el comandante Hermann Menzel, fue enviado en abril de 1935 a América del Sur con un pasaporte diplomático a nombre de E. Derp para organizar depósitos clandestinos de pertrechos, los cuales luego quedarían bajo el mando del V-b de la *Abwher* perteneciente al Servicio Especial Naval, *Marinesonderdienst*, el cual se encontraba al mando de Stoephasius. Cfr. Luis De la Sierra, *Corsarios alemanes en la Segunda Guerra Mundial*, Barcelona, Editorial Juventud, 1976.

A lo largo de la guerra Martens fue acumulando una enorme riqueza cuyo origen se desconoce, y que logró conservar designando al frente de su docena de empresas a individuos insospechables como colaboracionistas. Uno de ellos fue el vicealmirante Francisco Lajous, presidente de Lloyd Argentino S.A., Martens S.A, la compañía de seguros Patria y Nueva Lubeca, entre otras. Lajous había sido jefe de la Escuadra de Mar, comandante del crucero *Almirante Brown* y de la fragata *Sarmiento*, y había pasado a retiro en 1943. En la dirección de Stella y San Juan, Martens nombró a Luis María Gustavino y a Walter Treu, quien estaba al frente de la sindicatura de la Compañía Argentina Comercial y de Transportes Marítimos S.A. y de la Compañía Argentina de Navegación de Ultramar S.A. Tanto San Juan S.A. como Stella S.A. tenían sus oficinas en el edificio de Thilo Martens, en Corrientes 311, y habían sido adquiridas al mismo tiempo. La inteligencia aliada consideraba que esas empresas tenían capacidad suficiente para monitorear las acciones de los mercantes aliados e informar posteriormente a los submarinos alemanes.

Tanto los investigadores aliados como el espía alemán en Buenos Aires Ludwig Freude creían que Martens se ocupaba de introducir, como testaferro, capitales nazis a la Argentina. Al parecer, el banco suizo Johann Wehrli & Co. funcionaba durante la guerra como matriz de algunas sociedades anónimas argentinas instaladas de apuro y sin fines claros poco tiempo antes, entre las cuales se encontraban Stella, Seguritas y San Juan. Al principio de la guerra el nazismo se había propuesto la transferencia

clandestina de fondos hacia el Río de la Plata para tareas de inteligencia, y luego salvar capitales de la con-
fiscación aliada. Estas tres empresas fueron fundadas
entre diciembre de 1938 y el 31 de agosto de 1939, el día
anterior al estallido de la guerra. Por otro lado, fue justamente la banca Wehrli la que se encargó de la venta a
Hermann Göring de la fábrica de municiones que el
empresario austríaco Fritz Mandl tenía en Austria, capital que luego Mandl transfirió a la Argentina. Después
del conflicto, personajes como el famoso general de la
Luftwaffe Adolf Galland, su camarada Hans Rudel, el
coronel Werner Baumbach o el criminal Adolf Eichmann acudieron a las oficinas de Martens para recibir
transferencias de otros países o para conocer el destino
de viejos depósitos en bancos que habían sido cerrados.
Todas estas personas, salvo Mandl, se habían fugado a
Buenos Aires al terminar la guerra y frecuentaban el
bar que quedaba a pasos de Corrientes 311.

Se atribuye erróneamente a Martens –por ejemplo,
Werner Dietel, jefe de la inteligencia naval nazi– la venta
de mercantes alemanes atrapados en el Río de la Plata al
estallar la guerra. En 1941 la Norddeutscher Lloyd ena-
jenaba el *Anatolia*, mientras que el 7 de septiembre de 1942
hacía lo propio con el *Lahn* y el *Nienburg*. En verdad
Martens no fue el vendedor sino quien compró esos
barcos a través de su Compañía de Navegación Lloyd
Argentino dirigida por Lajous. Los nuevos propietarios rebautizaron *Santa fe* al *Anatolia*, *San Martín* al
Lahn y *Belgrano* al *Nienburg*. Luego los venderían a la
empresa de Dodero, quien los nombró *Río Carcarañá*,

Río Paraná y *Río Juramento*. Finalmente los compró el Estado argentino para su flota mercante.[28]

Alemania sufría durante la guerra una fuerte escasez de recursos estratégicos vitales. Una fuente posible de abastecimiento era Asia a través de barcos rompedores del bloqueo aliado o de submarinos. Otra opción era el contrabando desde países neutrales hacia puertos controlados por la *Wehrmacht* –las fuerzas armadas alemanas–. Martens desempeñó un rol fundamental en ese tráfico secreto. Por otro lado, bajo las órdenes de Canaris, debía construir depósitos clandestinos en la Patagonia para reabastecer barcos y submarinos. Parte de los fondos del *Etappendienst* fueron destinados a ese fin. Los recursos transferidos al *Etappendienst* de la Argentina ocuparon el segundo lugar en importancia, después de México. En tercer lugar se ubica Tenerife, que desempeñaría un importante papel en el reabastecimiento de submarinos durante la guerra.

En el año que precedió al estallido de la guerra la Argentina recibió $809.925,85 y gastó $1.509.623,20, básicamente en acopio de petróleo. El dinero se transfería a la organización desde sucursales locales de firmas alemanas, y luego se compensaba en sus centrales en suelo germano.

---

28 El *Anatolia* era un barco de 2.446 toneladas, construido en 1923, mientras el *Lahn* y el *Nienburg* pesaban 8.498 toneladas el primero y 4.318 el segundo y habían sido botados en 1927 y 1922, respectivamente.

Según el preinforme de la CEANA, el 19 de febrero de 1940 Niebuhr envió un telegrama cifrado vía Transradio, interceptado por los británicos, en el que proponía, en nombre de alguien confiable a quien menciona sólo como "Robert", la instalación de una base secreta de submarinos en la costa patagónica, a 44° 15' de latitud sur, es decir en Bahía Vera, justo al norte de Cabo Raso.[29] Debía disfrazarse como una fábrica para el procesamiento de grasa, aceites y pieles obtenidos en la caza de lobos marinos. Según el telegrama, el emplazamiento –para el cual "Robert" tenía una "concesión"– estaba alejada de los buenos caminos y podía ocultarse fácilmente. Afirmaba que en una instalación de ese tipo, construida sobre el modelo de una empresa noruega en la costa sur de Comodoro Rivadavia, los depósitos de gasoil y lubricantes no despertarían sospechas. Considerando que la empresa noruega rendía el 20 por ciento anual sobre el capital, según "Robert", se trataba asimismo de una empresa que prometía ser muy lucrativa. "Robert" solicitó a Niebuhr 25.000 dólares, suma que debía ser igualada por los capitalistas locales. Si bien Niebuhr avaló la propuesta, al parecer el estado mayor de la armada alemana la rechazó.[30]

29 James Bamford, *The Puzzle Palace: A Report on America's Most Secret Agency*, Boston, Harmondsworth, 1983.

30 Extraído del preinforme de la CEANA. Fuente original: Marine/Luft Attaché Buenos Aires, telegrama cifrado vía Transradio a Ausland IV, OKM Bs. As., 19 feb. 40, USNA, German Naval Attaché Records, PG32007-1, T1022, 4087, frame 219 et seq.

Las coordenadas coinciden con un sitio llamado La Lobería, donde hay colonias de elefantes y lobos marinos, y efectivamente se encuentra alejada de los caminos principales y a kilómetros de cualquier otra instalación. Está localizada, casualmente, en terrenos de Cabo Raso, estancia que había pertenecido al ex marino alemán Ricardo Fischer, quien gustaba relacionarse con los capitanes de las empresas navieras alemanas.

Los aliados temían que se repitiera el caso del *Dresden*, que se había reaprovisionado cerca de allí durante la Primera Guerra. En tal sentido el embajador británico sir Esmond Ovey emitió un informe sobre su preocupación por las zonas de Bahía Huevo y Puerto Gil, lugares lindantes con Bahía Cayetano. El 13 de septiembre de 1939 Ovey enviaba otro telegrama al ministro de Relaciones Exteriores en el que le comunicaba que el gobierno británico había obtenido información sobre un plan alemán para utilizar puertos de la región como bases para submarinos.[31] El 26 de noviembre de 1939 un telegrama cifrado era recibido por el ministro de Relaciones Exteriores argentino, en el que el embajador argentino en Gran Bretaña, Tomás Le Breton, informaba que había sido citado con urgencia, fuera de horas de oficina, por el ministro de Relaciones Exteriores inglés, el vizconde Halifax. Lo interpeló sobre declaraciones de la prensa argentina a principios de noviembre según las cuales "el gobierno argentino autorizaría la entrada de

---

31 Ministerio de Relaciones Exteriores, "Guerra Europea año 1939", mueble 7, casilla 6, expediente 84.

submarinos a los puertos en condiciones de barco de guerra". También que el país abrigaba "el propósito de acordar a los submarinos beligerantes facilidades semejantes a las concebidas a los buques no submarinos, con respecto al abastecimiento de combustible y uso de puertos". Esmond Ovey ya había informado a sus superiores que el gobierno argentino pensaba confirmar oficialmente los informes de la prensa. Tal situación sería considerada por el gobierno británico como "una verdadera invitación a los submarinos para frecuentar los mares sudamericanos".[32]

32 Aunque por todos los medios se intentó que esta situación pasara desapercibida para los argentinos, nuevos documentos –contrariando las aseveraciones del historiador Ronald Newton y de la CEANA– son contundentes acerca de la preocupación británica sobre la importancia de mantener el comercio con la Argentina, y sobre las bases clandestinas patagónicas que serían empleadas por submarinos nazis. El expediente 141 del Ministerio de Relaciones Exteriores y Culto de 1939 contiene información acerca de que el gobierno inglés sabía que los nazis intentaban utilizar bases secretas en el Atlántico sur para abastecer a sus naves, incluidos los temibles submarinos. El telegrama cifrado N° 1204, fechado en Londres el 25/26 de noviembre y firmado por el embajador argentino en ese país, transmite al gobierno las preocupaciones británicas: "...Que se ha dicho en la prensa argentina que el gobierno autorizaría la entrada de submarinos a los puertos en condiciones ordinarias de barcos de guerra. Que la presencia de un submarino en nuestras aguas, sobre todo después de los recientes métodos de minas libres, no podía responder a otro propósito que impedir el comercio entre nuestros países, no sólo con perjuicio de Gran Bretaña y Aliados

Un hecho confirmado fue el envío a la costa patagónica de un transmisor móvil por el grupo de espías alemanes Orga-T, más precisamente por el ss Wolf Franczok, espía que respondía a las órdenes de Niebuhr. Las señales del transmisor fueron captadas por

––––––

sino también de los neutrales en general. Que no tenía noticias por el momento de la presencia de submarinos en nuestras aguas, pero sí indicios de que existían en las costas chilenas. (...) Que había hecho gestiones por la Embajada en Buenos Aires, pero que aún no se había obtenido la solución esperada. Firmado: Le Breton".

El telegrama cifrado N° 1206 agrega que "el gobierno de la República Argentina (como asimismo los gobiernos de Chile y Uruguay) abrigaban el propósito de acordar a los submarinos beligerantes facilidades semejantes a los buques no submarinos, con respecto al abastecimiento y uso de los puertos. De acuerdo con esto, el embajador británico en Buenos Aires fue instruido para manifestar al gobierno de la República Argentina el deseo de que se prohíba el acceso a los puertos y aguas argentinas a los submarinos beligerantes; pero, con pesar del Gobierno de Su Majestad británica, los argumentos de Sir Esmond Ovey a favor de este procedimiento no parecen haber convencido al Gobierno de la República Argentina de que semejante actitud fuera necesaria de su parte. Mas aún, Sir Esmond Ovey se enteró de que el gobierno de la República Argentina contemplaba, en realidad, hacer una declaración pública en el sentido indicado, lo cual el gobierno de Inglaterra no puede sino interpretar que podría bien ser tomado como una verdadera invitación a los submarinos para frecuentar los mares sudamericanos. (...) Segundo. Constituye un apremiante deseo del gobierno de Inglaterra limitar en lo posible la amenaza submarina alemana. Este deseo no se inspira solamente en consideraciones de interés británico, pues débese tener en cuenta que la campaña submarina alemana, en la que se hunden sin previo aviso y se colocan

radiogoniómetros norteamericanos, británicos y suda-
fricanos. Una vez que alertaron al diputado Juan Antonio Solari, presidente de la Comisión Investigadora de
Actividades Antiargentinas de la Cámara de Diputados, se resolvió enviar un avión hacia la zona en marzo

———

minas (especialmente las del nuevo tipo magnético) ha sido dirigida contra buques neutrales en escala no menor que contra buques
aliados. (...) Tercero. La presencia de cualquier submarino alemán
en aguas argentinas solamente podría indicar, bajo el punto de vista del Gobierno de Su Majestad británica, el propósito de actuar
contra la navegación, lo cual implica una grave amenaza para todo
el comercio argentino de exportación, no sólo en la parte del mismo destinada al Reino de la Gran Bretaña, especialmente si, como
parece probable, la colocación de minas fuera llevada a cabo al mismo tiempo que el hundimiento de los barcos empleados en el
transporte de las exportaciones argentinas a este país. El área focal
del Río de la Plata constituiría una zona incomparable para estas
operaciones, pero una vez que un submarino estuviera fuera de las
aguas relativamente limitadas del estuario, el problema de perse-
guirlo sería infinitamente mayor que, por ejemplo, en la zona más
restringida que rodea a Gran Bretaña. Firmado: Le Breton".

Con una dependencia del 40 por ciento de alimentos y materias primas argentinas, la preocupación británica parece legítima.
Pero el gobierno argentino no podría ser tan torpe como para permitir que los submarinos que se abastecieran en sus puertos atacaran
barcos de bandera argentina, ni los alemanes tan tontos. Los abastecimientos de submarinos se realizaban desde buques nodrizas que
cargaban combustible y alimentos en diferentes puertos. En cualquier caso, centralmente el gobierno británico reclamaba al argentino que prohibiera a los sumergibles nazis proveerse de vituallas
en sus puertos, ya que la neutralidad argentina permitía que los submarinos que navegaban en superficie y con bandera identificatoria

de 1943 para detectar el transmisor.[33] En cualquier caso la red de Niebuhr incluía diez campos con transmisores en San Justo, Pilar, Bella Vista, General Madariaga, San Miguel, Ranelagh, Ramos Mejía, y en las provincias de Santa Cruz y Santa Fe, además de cantidad de vehículos, transmisores portátiles, "casas seguras" y un velero adquirido por Franczok en el Tigre para reuniones con submarinos en el Mar Argentino.

Según la CEANA, una "fuente habitualmente confiable" afirmó en mayo de 1941 que los buques cisterna de Astra habían llevado a cabo "numerosos" reabastecimientos de combustible a navíos alemanes. La figura central en estos asuntos clandestinos era un empleado

---

fueran tratados como barcos de guerra de superficie. Por otra parte Gran Bretaña conocía la existencia de puertos de la Patagonia y así lo hizo saber su embajador al referir que: "El embajador Ovey estaba específicamente preocupado por Puerto Huevo y Puerto Gill, al sur de Camarones, donde el *Dresden* había cargado carbón en 1914". En pocas palabras, esos puertos apenas visibles mantenían un fuerte intercambio con Europa sin pasar por Buenos Aires; y, de acuerdo con las leyes argentinas, el abastecimiento a submarinos, aun cuando la guerra ya estaba en curso, ni siquiera era ilegal siempre y cuando las naves se acercaran en superficie enarbolando su bandera. Cfr. Ministerio de Relaciones Exteriores, "Guerra Europea año 1939. Situación Jurídica de los submarinos de países beligerantes, su entrada a puertos neutrales", mueble 7, casilla 10, expediente 141. Telegramas 1204 y 1206.

33 Uki Goñi, *Perón y los alemanes*, Buenos Aires, Sudamericana, 1998.

de Casa Lahusen, un tal Schulz, cuya base de operaciones estaba en el pueblo Nueva Lubeca, Chubut. El 18 de diciembre de 1941 se conoció un informe similar. Decía que el buque cisterna *Astra*, de la compañía petrolera del mismo nombre, había reabastecido de combustible a más de un submarino.[34]

1943 resultaría el punto de inflexión en la guerra naval a favor de los aliados, además de significar grandes cambios para el *Etappendienst* en la Argentina. El 24 de agosto, 48 horas después de que Brasil decidiera involucrarse en el conflicto, Niebuhr recibió de la Armada Argentina, más precisamente del ferviente almirante nacionalista Mario Fincati, un pedido de submarinos, aviones y cañones antiaéreos. Tiempo después Niebuhr declararía que por esa época los militares argentinos "tenían muy presente la posibilidad de una guerra con el Brasil, cuyo presidente había pasado de coquetear con las fuerzas del Eje a enrolarse militarmente del bando aliado. Se tenía pensado realizar un intercambio triangular en el que España nos proveería de armamento alemán en su poder, recibiendo luego nuevo armamento alemán, mientras nosotros entregábamos a España cargamentos agrícolas". Por diversas complicaciones se decidió no negociar en forma oficial, sino que se utilizó una red de espías a cargo de Osmar Hellmuth.

---

34 US Naval Attaché 189 to JCS, Santiago, 12 May 41, USNA, Record Group 38, C-10K 22986B.

El 2 de octubre Hellmuth partía con credenciales diplomáticas hacia Alemania para concretar la compra de armas, pero fue interceptado y atrapado por la inteligencia aliada.[35] Los documentos sobre el interrogatorio permanecen clasificados, al igual que el interrogatorio a Ernst Hoppe, espía alemán atrapado en viaje hacia la Argentina, y que fue hospedado junto a Hellmuth en el campamento 020 de prisioneros, cerca de Londres. Hoppe debía esperar el 22 de febrero de 1944, en la propiedad El Rancho, de Emilio Fuchs, entre Magdalena y Mar del Plata, el arribo de un submarino alemán en el que se cargarían productos argentinos estratégicos como diamantes industriales, insulina cristalizada y extracto de hígado de tiburón, que se utilizaba para mejorar la vista de los pilotos de la *Luftwaffe*.[36] A su vez el submarino traería cajones para el Banco Alemán, otros para la marca Schmidt Hnos., con domicilio en Corrientes 282, Villa Ballester, y un cargamento, al parecer el más importante, para Kart Baumgarten, con domicilio en San Martín 2856, Florida, además de un transmisor de radio, dos cámaras microfotográficas y dos pasajeros, uno de ellos experto en radiocomunicaciones. Según el testimonio de Hoppe, operaciones semejantes ya habían sido llevadas a cabo en la costa argentina, confirmadas a su vez

35 Gustavo Ferrari, *Esquema de la política exterior argentina*, Buenos Aires, EUDEBA, 1981.
36 Janus Piekalkiewicz, *Secret Agents, Spies, and Saboteurs*, Londres, William Murrow & Co., 1973.

por el interrogatorio realizado a Otto Reinebeck, jefe de la Oficina Latinoamericana de la Cancillería del Reich.[37]

Ese mismo año se harían planes para enviar otro submarino a las costas argentinas, esta vez transportando al militar boliviano Elías Belmonte. Belmonte se desempeñaba como agregado militar boliviano en Berlín, y permaneció en Alemania incluso luego de que el gobierno boliviano rompiera relaciones con el Reich para planificar un golpe militar pro Eje en su país. Luego de la "Revolución Boliviana" Belmonte convenció al Servicio de Seguridad Exterior alemán –*Sicherheitdienst* o más abreviadamente SD–, y al Ministerio de Relaciones Exteriores, de que lo transportaran en submarino hasta las costas argentinas para trasladarse desde allí a Bolivia. Joachin von Ribbentrop, jefe del Ministerio de Relaciones Exteriores, dio el visto bueno y en septiembre de 1943 el jefe del SD, Walter Schellenberg, comunicó el plan a Otto Reinebeck. Mientras tanto, el espía nazi Siegfried Becker recibía en Buenos Aires 25.000 pesos de manos del magnate germano-boliviano Gustav Eickenberg para los preparativos del arribo del submarino, dinero con el que compró el velero *Alga* y contrató a su

---

37 Cuando se consultó al respecto al coronel argentino Arturo Brinkmann, declaró que no consideraba inconveniente el arribo del submarino ya que "estaban combatiendo contra un enemigo en común". Brinkmann, hijo de alemanes, había nacido en Comodoro Rivadavia en 1891. Fue durante 1943 jefe del Comando de la Primera Región de la provincia de Buenos Aires y, según algunos testimonios, era un ferviente nazi.

tripulación. Por otro lado el espía Wilhelm Seidlitz exploraba la estancia El Porvenir de Gustav Eickenberg, en Mar del Sur, posible escondite de Belmonte hasta su traslado a Bolivia. El velero zarparía de Mar del Plata, interceptaría al submarino en alta mar, donde se realizaría el trasbordo, para lo cual Belmonte había tomado clases de natación en el *Reichssportsfeld,* el Campo Atlético del Reich. Sin embargo, los cambios en la política del nuevo gobierno boliviano y el hecho de que Belmonte comprendiera que con su viaje sólo aumentaría la tensión entre los Estados Unidos y su país decidieron la cancelación del plan. Una misión similar sería realizada en abril de 1943 por el submarino U-180, transportando al político indio Subhas Chandras Bose desde Alemania hasta el Índico, donde fue trasbordado al submarino japonés I-29 y luego desembarcado en Asia con el fin de promover un movimiento indio pro nipón.

El contrabando de productos argentinos hacia Alemania fue de enormes proporciones. Representó para el Reich, en 1943, la principal fuente de recursos fuera de Europa. El encargado de este tráfico fue el alemán Georg Bücher, llegado a la Argentina en 1941 financiado por la embajada alemana. Por citar tan sólo un ejemplo, los británicos capturaron en noviembre de 1943 un embarque argentino de platino en la Isla Trinidad, con destino a Alemania, por valor de 300.000 dólares de la época. Sobre el tráfico de armas alemanas para los militares argentinos se han filtrado algunos datos, como el embarque de doce cañones antiaéreos de 20 milímetros fabricados por Rheinmetall-Borsig A.G, 120 cajones con 100 municiones explosivas, espoletas y municiones trazantes, y 120 cajones con 100 tiros de ejercicio provenientes de Suiza, vía España, a principios de 1943. Pero aún más interesante resulta la enorme cantidad de espoletas alemanas para artillería antiaérea adquiridas por el ejército argentino a principios de 1944, las cuales eran fabricadas por la fábrica Suiza Oerlikon Bührle & Co. para exclusivo uso alemán, y sólo por pedido de militares alemanes. Sobre la forma en que tales espoletas llegaron al país, es casi seguro que lo hicieron antes del final de la guerra y, según lo afirmado al autor de este libro por Peter Hug, especialista en temas de la fábrica Oerlikon y el Tercer Reich, las mismas deben haber llegado vía Alemania.[38]

La documentación prueba que el agregado militar argentino en Madrid, coronel Carlos Vélez, que debía acompañar a Hellmuth en su misión, continuó con las negociaciones para adquirir armas alemanas. El 29 de diciembre de 1943 se reunió con el ss Reinhard Spitzy, representante de la fábrica de armamento alemán Skoda-Brünner, quien además se desempeñaba como agente del SD y había sido secretario directo de Ribbentrop. Vélez explicó que la Argentina necesitaba armamento con urgencia, especialmente artillería antiaérea, y que el monto y la forma de pago no resultaban un problema.

---

[38] Son espoletas de tiempo de 30 segundos, con doble mecanismo de relojería, fabricadas a principios de 1944, utilizadas en el cañón antiaéreo de 88 milímetros.

Propuso que se enviaran submarinos o barcos alemanes con el armamento hacia Japón por el Cabo de Hornos: al aproximarse a la costa argentina recibirían una orden de Berlín para desembarcar el armamento en un pequeño puerto. Vélez le confió a Spitzy que el GOU disponía de 900 millones de pesos para comprar armas, de los cuales habían gastado sólo 120, y que urgía usar el resto. Remarcando la importancia del asunto Spitzy envió una carta al presidente de la *Waffenunion*, la unión de armamentos del Reich, para que realizara el pedido de armamento a Albert Speer, ministro de Armamento y Municiones, o de ser necesario al mismo Göring, y por otro lado intentó acelerar los preparativos solicitando que se tratara directamente con Ribbentrop. El 11 de enero de 1944 Vélez se reunía con el coronel Hans Doerr, agregado de la *Luftwaffe* en España, quien elevó el pedido al Ministerio del Aire del Reich. En esa comunicación acentuaba la insuficiencia de la artillería antiaérea argentina en caso de que tuviera que enfrentarse a los Estados Unidos. La última reunión documentada entre Vélez y Spitzy tuvo lugar el 26 de septiembre de 1944, en la que participó además un capitán argentino de apellido Núñez.[39]

---

39 Robert A. Potash, *The army & the politics in Argentina 1928-1945. Yrigoyen to Perón*, California, Stanford University Press, 1969. Se desconoce si la operación se llevó a cabo. Algunos expedientes que contenía la carpeta de la Embajada argentina en España con información sobre esa compra fueron removidos, por lo que no se dispone de información sobre la misma. La investigación de la CEANA se ocupó solamente de los motores españoles que, a pedido

Estas negociaciones fueron reconocidas por Otto Reinebeck, interrogado por los aliados al finalizar la guerra. Reinebeck afirmó que el argentino que gestionó la compra –según sus palabras, no fue la única– era el teniente coronel Carlos Wirth. Posteriormente Wirth demostraría gozar de la plena confianza de Perón: sería designado jefe de Estado Mayor General, y arriesgaría su vida por la causa peronista en el primer golpe de 1955.[40]

Los nazis negociaron además cargamentos clandestinos con la Armada Argentina, en plena guerra, como la microcámara alemana Mipu, que reducía un documento al tamaño de un punto ortográfico –podía disimularse como el punto de una "i" en una carta, por ejemplo–. En principio, debía ser transportada en el submarino que recibiría Hoppe, aunque finalmente llegó en la noche del

---

de Vélez, serían enviados a la Argentina luego de la guerra. Una operación nada comprometedora, como todo lo que se encuentra en los documentos de esa institución. Sin embargo, ciertos indicios permiten suponer que, de haberse concretado la compra, los suizos habrían participado como intermediarios puesto que así lo habían hecho cuando se adquirieron doce cañones y sus respectivas municiones a la Rheinmetall-Borsig el año anterior, fábrica que pertenece al mismo grupo que la Oerlikon suiza.

40 Como bien señala el investigador Uki Goñi, los documentos argentinos sitúan a Wirth en Suiza recién en 1944. En el caso de que Reinebeck estuviera refiriéndose a la compra gestionada por Vélez y no a la de 1943, Wirth habría sido el argentino que cerró el trato con la empresa suiza Oerlikon para la adquisición de las espoletas antiaéreas.

2 de julio de 1944, a dos kilómetros de Punta Mogotes, a bordo del velero alemán *Santa Bárbara*, junto a un cargamento de seis botellas de tinta secreta, equipos de radio, dos máquinas encriptadoras de mensajes, 50.000 libras esterlinas falsas, planes para la fabricación de motores de aviones, diez cajones con productos farmacéuticos por valor de 238.000 dólares para las empresas Bayer y Merck, otra cámara Mipu, los agentes secretos Josef Schröll y el ss Waldemar Boettger, y treinta copias del libro de Elías Belmonte –versión boliviana de *Mi lucha* editada en 1942 por la División de Política Cultural del Ministerio de Relaciones Exteriores del Reich–, una de ellas reservada para Perón. El velero fue recibido en la oscuridad por el espía Wolf Franczok y dos agentes a bordo de un bote de goma que, a su vez, cargaba alimentos para el velero, además de tres agentes de la Orga-T que regresaban a Alemania.[41]

La pérdida total de los submarinos cisterna

La flota submarina alemana, que hasta entonces había logrado importantes victorias sin sufrir derrotas significativas, experimentaría sus días más oscuros en mayo de 1943, conocido como el "mes negro" de los *U-bootes*, ya que en ese período fueron hundidos 41, sumando para fin de ese año 243 submarinos perdidos en doce meses. Fue un duro golpe del cual la flota submarina alemana no

[41] Estos tres agentes eran Heinz Lange, Phillip Imhoff y Werner Sievers.

lograría recuperarse. Los fuertes patrullajes aéreos instaurados por los aliados, equipados con radares, hacían de los submarinos en superficie una presa fácil, mientras que en inmersión eran perseguidos por el Asdic (*Anti-submarine Detection Investigation Committee*; pese al nombre, se trata de un aparato electrónico para la detección de objetos submarinos hoy conocido como Sonar). A Stalingrado y el Alamein se sumaba así la derrota de los "lobos grises"; que desde entonces pasarían a convertirse de cazadores a presas en la inmensidad del Atlántico.

Pero una de las mayores pérdidas de la flota de submarinos sería el hundimiento de la mayor parte de sus submarinos-cisterna, tipo XIV, para reabastecimiento de submarinos en alta mar conocidos como *Milchkuhe*, vacas lecheras. Siete de las diez vacas lecheras de la *Kriegsmarine* se perderían entre mayo y agosto de 1943. Una ya había sido hundida en 1942, mientras que otras catorce que estaban en construcción serían canceladas en julio de ese año.[42]

Una suerte similar corrieron los buques-cisterna del *Etappendienst*. Durante los primeros años de la guerra la organización tuvo pérdidas de sólo el 10 por ciento, pero cuando los aliados se fortalecieron en el mar desde 1943, ascendieron al 15 por ciento. Por otro lado la

42 Las vacas lecheras perdidas en 1943 fueron los submarinos U-459, U-460, U-461, U-462, U-463, U-487 y el U-489. En los meses centrales de 1943 perdieron además tres submarinos tipo XB -U-117, U-118, y U-119, que eran utilizados como reabastecedores de submarinos.

captura del petrolero alemán *Gdynia Esso*, más precisamente de las claves de los códigos secretos, tuvo graves consecuencias para el *Etappendienst*. Cuando los alemanes se percataron, un mes después, de que los aliados podían resolver sus claves, ya habían perdido seis petroleros y tres cargueros de la organización. Cuatro habían sido enviados a reabastecer al acorazado *Bismarck* y los otros cinco a submarinos alemanes. Al *Gdynia Esso* le seguiría el petrolero *Belchen*, que el 3 de junio de 1941 era hundido al sur de Groenlandia por los cruceros ingleses *Aurora* y *Kenia*. Al día siguiente, a 700 millas al oeste del cabo Finisterre, era capturado el petrolero *Gedania*, rebautizado por los británicos como *Empire Garden*. El mismo día y a sólo 200 millas de allí el acorazado *Nelson* y el crucero *Neptuno* hundían al carguero *Gonzenhein*, mientras que el petrolero alemán *Esso Hambourg* fue enviado a pique por su tripulación al ser descubierto por el crucero pesado *London*, a 800 millas al noreste de Brasil. En el mismo lugar, pero al siguiente día, el petrolero *Egerland* era alcanzado por el ataque del mismo crucero británico. El día 12 el crucero ligero *Sheffield* enviaba a pique al petrolero *Frederic Breme* a 500 millas de Brest, y tres días después el portaaviones *Eagle* y el crucero *Dunedin* capturaban al petrolero *Lothringen* a 700 millas de Port-Étienne. Finalmente los cargueros *Babitonga* y *Alstertor* eran hundidos por su tripulación los días 21 y 25, el primero cerca de San Pablo, acorralado por el *London*, y el segundo a 200 millas de Oporto, asediado por el *Marsdale* y la Octava Flotilla británica de destructores.

Tal vez por este desastre, en junio de 1943 el capitán Werner Stöphasius, jefe del *Etappendienst*, fue removido de su cargo. En julio se hacía cargo de la organización, a nivel mundial, Dietrich Niebuhr. Como encargado del *Etappendienst* para América del Sur, Niebuhr se había visto obligado a regresar a Alemania –lo reemplazó el coronel Friedrich Wolf– debido a que la Argentina lo había declarado *persona non grata* por la fuga de los marineros del *Graf Spee*, la creación de un círculo de espionaje y por la operación de radios y mensajeros clandestinos. Su designación fue apreciada por muy pocos investigadores, aunque resulta poco verosímil la caracterización de Niebuhr como un personaje sin grandes logros más allá de la *Graf Spee Aktion*, tal como el investigador canadiense Ronald Newton lo presenta. Es en cambio más razonable pensar que el ex agregado naval en Buenos Aires fue recompensado ni más ni menos que con el mando del *Etappendienst* por haber realizado eficazmente misiones más osadas que las de sus pares: el *Etappendienst* español, por caso, había reabastecido a más de veinte submarinos, mientras el del Este de Asia reaprovisionó a igual número de corsarios y barcos de transporte. Sin embargo, para Ronald Newton ningún submarino ni barco alemán fue reabastecido por naves argentinas, o desde las costas del país.[43]

43 Newton niega además que submarinos alemanes hayan sido hundidos durante 1942 en el Atlántico Sur, aunque se haya documentado al menos el caso del submarino U-179, hundido el 8 de octubre de 1942 a los 32º 28' latitud Sur, en el espacio oceánico

La gran cantidad de barcos de reaprovisionamiento y especialmente de submarinos-cisterna perdidos por los alemanes en los meses centrales de 1943 los obligó a recurrir a sistemas de reaprovisionamiento reservados para casos de emergencia. Ya a fines de agosto de 1942, mes en que Brasil declaró la guerra a Alemania, un avión militar brasileño descubrió al petrolero argentino *Santa Cruz* reabasteciendo de combustible a un submarino alemán mientras navegaban apareados entre la región de Santos y Río Grande. Todo indica que el avión brasileño no bombardeó al barco argentino para no ponerlo en evidencia. Newton, que conoce el informe, no ha ahondado demasiado en el caso, quizás porque no le interese, pero su desinterés no es motivo suficiente para negar los hechos.[44]

---

comprendido entre África y América del Sur. Quizás para Ronald esa zona no forme parte del Atlántico Sur. Newton ignora que al fracasar la invasión a la Unión Soviética para apoderarse de Bakú y los yacimientos caucásicos, el Tercer Reich carecía de petróleo, excepto el combustible obtenido por síntesis, siempre escaso, y el proveniente de Ploesti, Rumania, cuyos yacimientos eran blanco continuo de bombardeos Aliados. En esas condiciones, las naves debían reabastecerse secretamente en lugares signados por la *Abwher*.

[44] La presencia del submarino fue confirmada por informes de la Fuerza Aérea brasileña en esos días y en la misma región. El primero tuvo lugar el 26 de agosto de 1942 a la altura de Ararangua, en el Estado de Santa Catarina, cuando el teniente de la Fuerza Aérea Brasileña Alfredo Gonçalves Corrêa piloteaba un Vulte V-11GB2 junto a Manoel Poerner Mazeron como bombardero y el sargento

En esos días navegaban en alta mar 103 submarinos alemanes, de los cuales cinco se hallaban en el Atlántico Norte camino a Ciudad del Cabo y cinco navegaban por el Atlántico Sur.[45] Tres de ellos realizaban operaciones en la costa de Ghana y Liberia contra los convoyes que partían hacia Gran Bretaña. Mientras tanto, el U-506 hacía otro tanto en las aguas aledañas a la isla brasileña de Fernando Noronha y el U-507, al mando del comandante Harro Schacht, provocaba una masacre al hundir frente a Bahía a cuatro barcos brasileños de transporte de pasajeros, dos mercantes brasileños y uno sueco, todos hundidos entre el 15 y el 22 de agosto, con un saldo de 887 víctimas mortales, hecho que decidió a Brasil a declarar la guerra al Eje. El sanguinario comandante y su tripulación pagaron por sus crímenes cuando fueron alcanzados por bombas aliadas en enero de 1942, frente a las costas brasileñas. Al menos trece

---

Carlos Sep como operador de radio y artillero. El avión despegó de la base aérea de Porto Alegre y al divisar al submarino lo atacó con sus bombas de 150 kilogramos, pero como las lanzó desde baja altura las esquirlas de las mismas dañaron al avión, obligándolo a descender en Osorio. Al parecer el submarino no sufrió daños irreparables ya que sólo se registran dos submarinos alemanes hundidos en esa región, el U-199 y el U-513, echados a pique en julio de 1943. Dos días después, es decir el 28 de agosto, el capitán Manuel Rogério de Souza Coelho piloteando un avión similar realizó otro ataque al submarino a la altura de Iguapé en el Estado de San Pablo, nuevamente sin provocarle daños.
45 Estos submarinos eran U-68, U-156, U-172, U-179 y U-504.

submarinos alemanes serían hundidos en esa zona, once de ellos en 1943, cinco en julio.[46]

Ya en fecha tan temprana como noviembre de 1939 se habían descifrado dos mensajes, uno enviado de Berlín a Tokio y Buenos Aires el 3 de noviembre, que informaba que el encargado de negocios japonés en La Habana ofrecía una organización de "primera clase" de pescadores japoneses en la costa brasileña para el aprovisionamiento de buques de guerra alemanes en alta mar. El otro, desde La Habana, tres días más tarde, repetía la oferta del uso de veinte buques pesqueros japoneses desde Santos, Brasil. Estos mensajes adquirieron nueva vigencia cuando en septiembre de 1943 se informó que buques pesqueros de la firma japonesa CACIP habían participado activamente en operaciones de reabastecimiento de combustible en la región de Santos. La validez de estas afirmaciones se refuerza si se tiene en cuenta que los alemanes utilizaron diversas naves mercantes de su flota que partían de Belem, Santos y Río Grande para reabastecer corsarios en el Atlántico Sur. Cuatro casos fueron confirmados: el buque *Königsberg* partió de Belem el 28 de mayo de 1940 con una carga de 1.280 toneladas de diesel, reabasteció días después a los corsarios *Orion*, y *Widder*, además del crucero *Lützow*. El 31 de mayo del mismo año el barco *Rio Grande* dejaba el puerto homónimo transportando repuestos, aceite y

---

46 Se trata de los submarinos U-86, U-128, U-156, U-161, U-164, U-199, U-507, U-513, U-590, U-591, U-598, U-662 y el U-863.

provisiones que entregaría al corsario *Thor*. Al año siguiente, el 28 de marzo, el *Dresden* zarpó de Santos con 2.500 toneladas de combustible que entregaría al corsario *Atlantis*, mientras que éste recibiría días después más toneladas de combustible, agua y provisiones del carguero *Dresden*, que había zarpado de Santos el 24 de abril.

Por otro lado, reuniones entre barcos argentinos y submarinos alemanes como la del petrolero *Santa Cruz* serían planeadas por la cúpula militar argentina, cuando en 1943 solicitaron al Reich fórmulas y maquinaria para la obtención de nafta de aviación de alto octanaje y explosivos trotyl. Planeaban transportar en un submarino alemán estos encargos, además de tres técnicos especializados en tales procesos industriales, que serían trasladados a un barco argentino que "sería tripulado exclusivamente por oficiales de probada confianza" según el ministro de marina, almirante Benito Sueyro.

En el informe preliminar de la CEANA, que luego fue inexplicablemente suprimido del informe final, Newton intentó negar que se hubieran realizado reabastecimientos de submarinos alemanes en las costas argentinas. Alegaba que los alemanes habrían sido estúpidos si hubieran hecho recorrer miles de millas a sus submarinos, desde el norte, para reabastecerse de combustible. La realidad parece inversa: los alemanes habrían demostrado necedad si, disponiendo de reabastecimiento seguro en la Argentina, hubieran trasladado a Europa a sus submarinos que actuaban en Brasil, Liberia y Sudáfrica, para hacerlos retornar luego al Atlántico Sur.

Pero la presencia del acorazado *Graf Spee* en la zona del Río de la Plata en diciembre de 1939 derrumba cualquier especulación, y confirma la importancia que el *Etappendienst* argentino tenía para el alto mando de la *Kriegsmarine*.

El acorazado *Graf von Spee* y el frustrado intento de tomar las Islas Malvinas. La misteriosa Batalla del Río de la Plata

La flota de superficie de Hitler, compuesta por muy pocos barcos, no estaba bajo ningún punto de vista preparada para una guerra. Pero además: ¿adónde se reabastecería una flota que tenía bloqueadas las salidas al Atlántico. Los barcos debían partir furtivamente en noches cerradas o con niebla impenetrable. Alcanzar alta mar era en sí mismo un éxito.[47]

El acorazado de bolsillo *Graf von Spee* tenía un barco de apoyo, el *Altmark*, que una vez comenzada la contienda también debía proveerse de combustible furtivamente, ya que Alemania carecía de petróleo y que sus puertos estaban bloqueados. Cuando se declaró la guerra los navíos británicos atacaron de inmediato a los mercantes alemanes. El primero fue el *Olinda*, hundido por el *Ajax* en las cercanías de Punta del Este el 3 de septiembre de 1939, algunos minutos más tarde del

[47] La situación de los submarinos era, en cambio, mucho más favorable.

ultimátum que el Reino Unido y Francia habían entregado a Hitler. La agresión obligó a la mayor parte de los cargueros germanos a buscar refugio en puertos neutrales, aunque no podían permanecer anclados indefinidamente, no sólo por los tratados que regían la guerra en el mar sino por la imposibilidad de cumplir su función, es decir, proveer a Alemania de material crítico para el correcto desempeño de su industria, además de transportar alimentos y el combustible necesarios.

El acorazado alemán partió de Wilhelmshaven el 23 de agosto de 1939, una semana antes de que los nazis invadieran Polonia. El teatro de operaciones asignado al comandante Hans Langsdorff era primordialmente el Atlántico Sur, auxiliado por el *Altmark* que lo reabastecería de combustible. Era un cisterna de 14.000 toneladas que podía transportar aproximadamente 7.900 toneladas, y había zarpado el 3 de agosto de Wilhelmshaven, reaprovisionándose de combustible en Port Arthur, Texas. La primera reunión entre el acorazado y su auxiliar tuvo lugar en las cercanías de las Azores el 28 de agosto. El 1 de septiembre, día en que comenzaba la Segunda Guerra, el *Altmark* ya había traspasado 785 metros cúbicos de combustible al *Graf Spee*, mientras que cinco días después le suministró 254 toneladas de gasoil. El 12 de septiembre el acorazado recibió 376 metros cúbicos más, a los que se les sumaron 206 el día 22. El 28 de octubre se realizaría un reaprovisionamiento de otros 940 metros cúbicos y el 23 de noviembre el acorazado cargó una enorme cantidad de combustible. Un último reabastecimiento, pero de insignificante volumen, se realizó el 6 de diciembre. El *Altmark* ya no contenía combustible en sus tanques, poco más de lo necesario para su regreso a Alemania. Obviamente el Estado Mayor de la Armada alemana había previsto tal situación, y como reemplazo del *Altmark* había designado al cisterna *Emmy Friedrich*, que zarpó de México con una carga de 40.000 barriles de gasoil para el *Graf Spee*, además de aceite para el trópico y de dióxido de carbono para sus descompuestas cámaras frigoríficas. Luego debería dirigirse hacia el *Etappendienst* de las Canarias, donde se reabastecía gran cantidad de submarinos.

El 30 de septiembre el *Graf Spee* se encontraba en las proximidades de Recife, donde hundió al carguero *Clement*. Sin embargo, los alemanes sufrirían un percance cuando el crucero británico *HMS Caradoc* envió a pique, muy cerca de allí, el 23 de octubre, al *Emmy Friedrich*. Como el *Graf Spee* necesitaba un nuevo cisterna, esta vez se designó al carguero *Dresden*, que navegaba en el Pacífico, próximo a Chile. Pero el reaprovisionamiento no pudo realizarse debido a un error de coordinación para la reunión, de forma que el 15 de noviembre el *Dresden* estaba en el puerto de Santos sin haber cumplido su misión. Una semana después el acorazado recibía su última cuota de combustible del *Altmark*.

La versión oficial afirma que Langsdorff se dirigió entonces hacia el Río de la Plata porque después de hundir al carguero *Streonhalh* el 7 de diciembre capturó documentación secreta que contenía información sobre la ruta de mercantes entre el Río de la Plata y Gran Bretaña, por lo que decidió dirigirse hacía allí para probar suerte. Pero si se observa el derrotero seguido por el *Graf Spee*, Langsdorff no hizo más que mantener el rumbo que ya sostenía desde el 2 de diciembre, cuando hundió al *Doric Star*. Si la versión oficial fuera correcta el *Graf Spee* habría roto el patrón que seguía cada vez que hundía un barco, ocasión en que realizaba un pronunciado cambio de rumbo para despistar a los británicos. Henry Harwood, comandante de las fuerzas de la Marina Real en América del Sur, conocía este patrón de comportamiento del *Graf Spee*. Por esa razón llamó su atención que tras hundir al *Tairoa* y al *Streonshalh* el *Graf Spee* no modificara su trayectoria. En los borradores que Harwood trazaba con la información que recibía del Almirantazgo puede verse que anotó el 4 y el 8 de diciembre la posición en que eventualmente podía encontrarse el *Spee*, y sus posibles destinos. Era notorio que Langsdorff había cambiado su patrón de comportamiento y que se dirigía decididamente hacia América del Sur. Los capitanes ingleses atacados habían transmitido por su parte que el barco se desplazaba muy por encima de la línea de navegación, un dato que resultaría revelador. ¿Qué motivos tenía Langsdorff para dirigirse contra todo obstáculo hacia el Oeste? La única respuesta convincente dice que el *Graf Spee* debía alcanzar la costa argentina para obtener ayuda del *Etappendienst*; el *Altmark* ya no tenía combustible y sus reemplazantes no lograron reunirse con el acorazado. Lo que el *Graf Spee* necesitaba, el *Etappendienst* argentino podía brindárselo. Grandes sumas de dinero se habían invertido para eso.

Puede leerse en los diarios de entonces que varios barcos alemanes estaban pidiendo auxilio, solicitando víveres y combustible. No era ésta una situación que los británicos y luego los americanos desconocieran, sino que la estrategia básica de la guerra contra los nazis se basaba precisamente en privarlos de petróleo y energía. Uno de ellos radiaba bajo el nombre de *Admiral Scheer*, gemelo del *Spee*. Conociendo esta situación, los británicos montaron un estrecho sistema de vigilancia que detectó dos naves alemanas. Una era el *Tacoma*, anclada en Montevideo, y otra el *Ussukuma*, en Bahía Blanca. El *Tacoma* solicitaba gas oil a la estatal uruguaya ANCAP, pero en cantidades anormales, por lo cual, tras la intervención británica, el pedido les fue denegado. Pero el *Ussukuma* había obtenido lo solicitado en la Argentina, y luego de una larga estadía en el puerto se hizo a la mar durante la noche del 6 de diciembre para abastecer al *Graf Spee*.[48] Al día siguiente, un cable de Ciudad del Cabo daba cuenta del hundimiento del *Ussukuma*, aparentemente por el *Cumberland* de la Royal Marine, pero ninguna otra información se proporcionó sobre el caso. Sorpresivamente el 10 de diciembre pescadores marplatenses encontraron balsas a la deriva provenientes de lo que parecía el naufragio sin sobrevivientes del *Ussukuma*, ya que el único tripulante de las mismas era

---

[48] Varios barcos habían sido movilizados al respecto, pero el *Ussukuma* era el más cercano. Por otro lado, el resto estaba inmovilizado en puertos neutrales.

un pequeño gatito que, asustado y hambriento, maullaba pidiendo ayuda. El animalito fue adoptado como mascota por los pescadores, pero nada más se supo de la suerte del *Ussukuma* ni de su tripulación. Una versión obtenida en 1978 del marino alemán Hans Grin en la ciudad de Las Heras indica que el *Ussukuma* fue capturado por el *Cumberland* y que la tripulación alemana reveló las coordenadas del punto de encuentro con el *Graf Spee*. También es posible que los británicos tomaran el sistema de codificación y decodificación "Enigma" del *Ussukuma* y lo utilizaran para engañar a Langsdorff. Harwood pergeñó entonces uno de los planes más arriesgados de la historia naval: la información proporcionada por los tripulantes del *Ussukuma* indicaría que el *Spee*, una vez cargado el combustible, intentaría invadir las Islas Malvinas. A riesgo de perderlo todo en la batalla Harwood envió al *Cumberland* hacia las islas, distrayendo así a su nave más poderosa, y se dispuso a esperar al acorazado alemán en la zona del Río de la Plata con el crucero pesado *Exeter* y los livianos *Ajax* y *Achilles*. Langsdorff se acercaba confiado, creyendo que se reuniría con el *Ussukuma*.

En los planos de la Batalla del Río de la Plata publicados por Millington-Drake[49] y por Winston Churchill se observa claramente que, contrariamente a lo aseverado en decenas de libros, al amanecer del 13 de diciembre de 1939 el *von Spee* navegaba desde tierra hacia mar

---

49 Cfr. también Churchill, ob. cit.

adentro, hacia el Este, con sol de frente. Creyó Langsdorff que los mástiles que con dificultad vislumbraba en el horizonte eran los del *Ussukuma*, y hacia ellos se acercaba sin sospechas.[50]

La supervivencia del *Graf von Spee* en los mares se basaba en dos elementos: en la capacidad de sus oficiales para mantener la nave oculta en la inmensidad de los océanos y, en caso de ser descubierto, dependía de sus cañones de gran alcance de 280 milímetros y su sistema combinado de puntería. Manteniendo distancia de sus oponentes, el acorazado de bolsillo podía combatir con ventaja ante cruceros pesados y livianos –no contra cruceros de batalla– como el *Cumberland* y el *Exeter*, así como los livianos *Ajax* y *Achilles*, que por el corto rango de sus cañones mayores, en forma individual, no eran rivales peligrosos.[51]

Cuando Langsdorff se percató de la emboscada ya era demasiado tarde: se había acercado peligrosamente a la costa uruguaya –decisión que aún constituye un enigma– y había perdido sus dos ventajas, es decir, mantenerse oculto del enemigo y fuera del alcance de

---

50 Lo que claramente muestran los planos fue avalado por las declaraciones del oficial de artillería del *Spee*, F. Rasenack, en declaraciones grabadas para el documental de *History Channel* "La Batalla del Río de la Plata". Rasenack aseguró que el sol les impidió reconocer a las naves británicas.

51 Los cañones mayores del *Exeter* eran de 8 pulgadas, es decir de 203,2 milimetros.

sus proyectiles.[52] Cuando reaccionó ya estaba a tiro de los cañones de 8 pulgadas del *Exeter* y de los de 6 pulgadas del *Ajax* y del *Achilles*. Viró 180° para romper el cerco que propiciaban los barcos enemigos disparando su artillería. En principio concentró toda la potencia de sus grandes cañones contra el *Exeter*, que fue alcanzado seriamente y quedó fuera de combate. Esa situación dio vuelta el curso de la batalla, ya que ahora la posición era muy ventajosa para el corsario nazi. Los cruceros livianos *Ajax* y *Achilles* tenían poder de fuego limitado: sus armas más potentes, los cañones de 6 pulgadas, equivalían a las menores del acorazado nazi. Todo el armamento de estribor del *Spee*, más las torres triples de 280 milímetros y los tubos lanzatorpedos se volcaron contra los cruceros livianos que con bravura asombrosa enfrentaron la situación. Alcanzados por todos lados, los cruceros británicos esperaban la embestida final del acorazado que, enigmáticamente, no se produjo. De pronto, ante el asombro de la castigada tripulación británica y neozelandesa, el *Graf von Spee* abandonaba la batalla con rumbo sur.

Lo cierto fue que el acorazado llegó a Montevideo con combustible para apenas algunos minutos de marcha.

---

52 La frase enigmática dejada por el capitán del *Spee*, según la cual la nave "cayó en la trampa de Montevideo", se aclara en este contexto. Harwood fue ascendido a almirante de inmediato y nombrado Caballero de la Orden del Baño, en segundo grado, condecoración instituida por Jorge I en 1725.

Langsdorff, que estaba en situación propicia para hundir a los cruceros livianos, se retiró, como refiere Barrie Pitt[53] hacia "la intensamente antialemana ciudad [de Montevideo]".[54] Cierto es que una mayoría de uruguayos simpatizaba con los británicos, y el gobierno actuó en

53 Barrie Pitt, *La Segunda Guerra Mundial*, Barcelona, Ediciones Folio, 1995. Durante años, libro tras libro, la Batalla del Río de la Plata fue relatada sin quitar ni agregar un solo renglón a la historia tal como se narró por primera vez, y que se convirtió en versión oficial. No es una excepción *La Segunda Guerra Mundial*, un trabajo profusamente ilustrado, muy exitoso y vendido por la forma en que presenta los acontecimientos, por ejemplo la profusión de detalles que aporta Pitt, aunque sean apenas el resultado de su frondosa imaginación. La invención circunstancial lo vuelve verosímil, pero no verdadero. Más grave resulta la poca rigurosidad del autor que lo lleva a cometer graves errores tanto en el desarrollo de los hechos como en su interpretación. Entre muchos otros sostiene que Langsdorff se dirigió al Río de la Plata para emboscar a un convoy británico, cuando los hechos, como se vio, lo contradicen absolutamente. En realidad los ingleses emboscaron al *Spee* y no a la inversa. Dice además que navegó hacia Montevideo, luego de la batalla, por los daños causados por los británicos, "A bordo del *Graf Spee*, Langsdorff revisó los daños que los británicos habían infligido a su barco y tomó una decisión irrevocable. El acorazado de bolsillo había sido alcanzado 18 veces; sus cocinas habían prácticamente desaparecido [¿] y varios cañones secundarios estaban inutilizados. (...) El capitán alemán decidió que, sin reparaciones, su barco no sobreviviría el largo viaje de vuelta a casa [¿] en medio de una flota británica alertada [¿]. Así giró hacia el Oeste y se dirigió a Montevideo, en el neutral Uruguay."

54 En condiciones normales el *Graf von Spee* habría terminado de destruir al *Exeter* –que se arrastraba hacia las Malvinas malherido–, al *Ajax* y el *Achilles* –su pobre armamento estaba semidestruido, consecuencia: Langsdorff solicitó a las autoridades uruguayas dos semanas de gracia en las cuales completar las reparaciones de su vapuleado barco, pero le concedieron apenas 72 horas. Por lo tanto, elegir Montevideo carecía de lógica, salvo que se comprenda que el *Graf Spee* llegó hasta donde su combustible se lo permitió. Si Langsdorff decidió evitar Buenos Aires por razones de calado, como considera Pitt, podía haber elegido Mar del Plata o Bahía Blanca, en la Argentina, donde por otra parte había sobrados medios para las reparaciones de emergencia.[55] Había quemado los últimos miles de

---

cargaban muchos muertos y heridos serios– en cuestión de minutos. Además, Langsdorff contaba con información precisa que la *Abwher* le proporcionaba por medio de decenas de aviones germanos que sobrevolaban a las naves británicas partiendo sin inconveniente alguno de los incontables aeropuertos a su disposición en el litoral argentino. De tal forma, nada más alejado de la verdad que la opinión de Pitt ("Langsdorff, incapaz de alquilar un avión privado en la intensamente antialemana ciudad a fin de examinar la zona por sí mismo, creyó que una amplia fuerza británica había llegado para bloquearle el paso") acerca de que los alemanes no tenían aviones, cuando incluso los diarios publicaron decenas de fotos aéreas cedidas por los contendientes. Langsdorff sabía perfectamente que sólo el crucero pesado *Cumberland* se había unido a los maltrechos *Ajax* y al *Achilles* fuera del puerto. Los demás refuerzos estaban a cientos de millas de distancia.

55 Cuando el barco arribó a Montevideo fue observado de inmediato por un oficial del servicio de inteligencia británico quien determinó que los daños sufridos eran menores. El navío alemán se alejaba de la batalla a una velocidad cercana a los 25 nudos, que era su máxima teórica.

litros de sus motores diesel durante la batalla. Tan poco gas oil había en sus tanques que no pudo siquiera ganar el canal para hundir el barco. Su tripulación lo voló en un lugar inapropiado, de modo que toda su estructura quedó fuera del agua. Aunque los nazis lo nieguen, cuando el fuel de algunos sistemas y el aceite de los motores diesel se apagaron, los británicos –tras recorrerlo de palmo a palmo cuando se terminó de internar a la tripulación alemana–, se apoderaron de todos los secretos del acorazado para luego informar detalladamente los hallazgos al incrédulo Almirantazgo.[56]

Si se analiza el suceso sin pasiones, las fotos muestran claramente la precaria situación del buque en cuanto al combustible. Navegaba elevado más de un metro de su línea normal de flotación. Esto afectaba mucho su estabilidad, tal como lo atestiguaron los británicos que se encontraban cautivos a bordo, liberados al llegar a Montevideo. Señalaron que la falta de peso hacía que cada viraje cerrado durante la batalla se tornara peligroso. El escoramiento excesivo, más que los impactos recibidos, asustaba a los prisioneros.

La prensa nada sabía sobre la falta de combustible del buque, y sólo los marinos comprendían la compleja situación en que se encontraba la nave. Pocas veces el vencedor de una batalla se vio en tan complicada situación. Los periodistas lo trataban de cobarde, y el capitán que regresaba victorioso –y herido– de una sangrienta batalla,

---

56 En especial, tipos de explosivos y técnicas de construcción.

se veía impedido de contar la verdad. De haberlo hecho habría desnudado al Reich a los ojos de todo mundo: el "Imperio de los Mil Años" carecía de combustible para sus barcos, sus aviones y sus fábricas. La historia del Tercer Reich está signada por aventuras macabras destinadas a obtenerlo por cualquier medio. Pero hacia fines de 1942, cuando fracasó la ofensiva del Cáucaso, la aventura de Hitler había finalizado y sus días estaban contados.[57] Cuando ya se había determinado la internación de la tripulación, Langsdorff, que no podía decir la verdad, se pegó un tiro el 20 de diciembre de 1939. Su entierro en el Cementerio Alemán de Buenos Aires, donde aún yace, fue multitudinario.

57 Con buen tiempo y fortuna el *Altmark* había logrado llegar a Noruega, pero la falta de combustible hacia imposible continuar viaje hasta Alemania. Winston Churchill (ob. cit.) comenta al respecto: "Entretanto el *Altmark* se había puesto en marcha y al tratar de chocar al *Cossack* [barco enviado por el Almirantazgo para liberar a los prisioneros británicos que transportaba hacia Alemania] encalló. El *Cossack* se colocó a su lado y una vez que lo hubieron amarrado al *Altmark*, un destacamento de abordaje pasó al buque alemán. Se produjo entonces una pelea cuerpo a cuerpo en la cual murieron cuatro alemanes y cinco resultaron heridos. Parte de la tripulación huyó a tierra firme y el resto se rindió. Comenzó entonces la búsqueda de los prisioneros británicos, que muy pronto fueron hallados en los pañoles, en la sentina y hasta en un tanque de petróleo vacío..." Fácil es observar que una persona puede estar en tan desusado reservorio sólo si se encuentra totalmente vacío. En conclusión, por donde se mire, el Tercer Reich no tenía petróleo.

Finalmente, otro misterio se abre: antes de la batalla Harwood envió al crucero pesado *Cumberland* a las Islas Malvinas. Esta circunstancia pudo haber cambiado radicalmente el curso de los acontecimientos, ya que dos cruceros pesados y dos livianos, divididos convenientemente, posiblemente habrían derrotado al *Spee*. Es difícil analizar las razones de tal decisión, salvo que el comandante británico supiera o sospechara, por información obtenida en el *Ussukuma*, que la verdadera misión del *Graf von Spee* era la toma de las Malvinas. Exactamente veinticinco años antes, en diciembre de 1914, el conde Maximilian von Spee había intentado la hazaña. Murió en las acciones junto a sus dos hijos y miles de marinos de la Flota Imperial del Pacífico. En el manuscrito presentado por Barrie Pitt, el punto F (Falklands), señalado por Harwood contempla la posibilidad de que Langsdorff se dirigiera hacia allí. Presumía, por la velocidad del *Graf Spee*, que alcanzaría las islas el 14 de diciembre. Otros trabajos coinciden con esa hipótesis: en *Graf Spee, del astillero a Punta del Este*[58] el ex marino señala que "Nuestro propósito era internarnos en el Atlántico Sur y recorrer las inmediaciones de las Islas Malvinas." Un análisis somero indica que, tal como la situación se presentaba, tomar las Malvinas, débilmente defendidas, habría significado un golpe espectacular para los nazis. Si una vez conquistadas las islas el Reich enviaba submarinos y aviones para su

---

58 Rüdolf Müller, Buenos Aires, Enrique Signoris Editor, 1954.

defensa, el decurso de la guerra –aunque no en términos absolutos, en su resultado final– podría haber cambiado. No sucedió, pero todo indica que el *Spee* lo habría intentado como lo prueba el desvío del *Cumberland*, el envío de submarinos y refuerzos británicos a la zona, junto a testimonios, borradores y la lógica pura.

Cuando Langsdorff llegó a Montevideo se reunió con el ministro alemán Otto Langmann y con Dietrich Niebuhr, quien se encargó de organizar la huida de los tripulantes del *Graf Spee* hacia Buenos Aires, donde contaba con apoyo del gobierno. La organización montada por Niebuhr haría posible la fuga a Alemania de los más preparados de estos marineros. Algunos de ellos fueron luego comandantes de submarinos. Circularon más tarde algunos rumores no confirmados, especialmente sobre el capitán de fragata Paul Ascher y el teniente de navío Heinrich Kummer. Según una nota de la Embajada estadounidense en Montevideo enviada a Washington, sus agentes estaban investigando si esos dos oficiales habían regresado a la Patagonia en submarinos para organizar desembarcos clandestinos de jerarcas y materiales de gran valor.

Si bien estos hechos no pudieron comprobarse, llama la atención el último viaje del submarino U-1233 comandado por el capitán de corbeta del *Graf Spee*, Hans Joachim Kuhn, fugado de la Argentina. Partió el 31 de marzo de 1945 de Kristiansand, Noruega, en dirección contraria a prácticamente la totalidad de sus camaradas. Arribó el 3 de abril a Flensburg,

Alemania, donde se establecería el efímero gobierno del Almirante Dönitz, sucesor de Hitler. Precisamente desde·allí se dirigió la fuga de criminales y capitales nazis en submarino hacia la Argentina. No se ha esclarecido aún el motivo y el destino de ese último viaje de Kuhn.

Se probó en cambio la participación de dos marineros del *Graf Spee* en el desembarco de material y personas de dos submarinos entre el 23 y el 29 de julio de 1945 en una estancia de Lahusen en San Antonio Oeste, seis días después de que el gobierno argentino suspendiera el patrullaje costero a pesar de los múltiples avistajes y ataques a esos submarinos por los cruceros *Mendoza* y *Catamarca*, documentados en los diarios de la época y en expedientes de la Armada. Los marineros confesarían su participación al ser interrogados luego del derrocamiento del general Perón. Walter Dettelmann, radiotelegrafista, y Alfredo Schultz, aspirante a oficial, declararon entonces que, estando internados en el campamento de Sierra de la Ventana, más precisamente en el lujoso Club Hotel de Villa Ventana, recibieron órdenes del Capitán Walter Kay, segundo comandante del *Graf Spee* –quien residía en la quinta La Beba en Florencio Varela–, de trasladarse a la Patagonia para prestar servicios especiales. La llegada franca de esas órdenes no debe sorprender ya que, si en principio la correspondencia era controlada por personal militar, luego se permitió al prisionero alemán Eggerstedt manejarla sin control, desde el puesto de correo, distante dos kilómetros, hasta el hotel. Y, si bien por decreto

7.042 del 2 de abril de 1945 debía aplicarse censura postal por el estado de guerra, la orden no se cumplió.[59]

Mientras sus compañeros interpretaban "La marcha de Sedán" en el Club Hotel de Villa Ventana, Dettelmann y Schultz eran alojados en una estancia de la Compañía Lahusen, libre de cualquier acción molesta de la Comisión de Vigilancia de la Propiedad Enemiga por expresa orden del Poder Ejecutivo.[60]

Según informaron más tarde, los marineros Dettelman y Schultz descargaron pesadas cajas de dos submarinos y las cargaron en ocho camiones. Estimaron que la carga era valiosa y que provenía de Alemania. Desde botes de goma llegaron a la costa ochenta personas, algunas de ellas, por la forma de dar órdenes, les parecieron de muy alto rango. Para el dogmático Newton tales hechos nunca ocurrieron. Su informe para la CEANA asegura que la suerte de cada submarino alemán se conoce con exactitud, y que ninguno arribó clandestinamente a la Argentina.

Al parecer se le escaparon algunos *bootes*, como el U-398 bajo el mando de otro tripulante del *Graf Spee*, que partió de Horten, Noruega, el 14 de abril de 1945, a sólo días de finalizar el conflicto, cuyo paradero y el

---

59 A. J. Schlichter y J. R. Spinetto, *Historia postal de la tripulación del acorazado* Admiral Graf Spee, Buenos Aires, Histpost Ediciones, 1989. En el archivo del Museo Histórico de Villa Ventana se puede obtener información sobre los marineros internados en el lugar, además de fotografías y testimonios.

60 Comisión parlamentaria encargada de vigilar las propiedades de ciudadanos del Eje.

destino de su tripulación se ignora. Algunos investigadores afirman que tales desembarcos clandestinos eran
imposibles dada la vigilancia costera, juicio sorpren-
dente si se consideran los miles de kilómetros de costa
patagónica y los escasos barcos de que disponía la Armada, equipados además con instrumental arcaico. La costa
de los Estados Unidos era en cambio minuciosamente vi-
gilada por la Marina, la Fuerza Aérea, los guardacostas y
la población. Sin embargo los alemanes lograron desembarcar tres grupos de espías y gran cantidad de explosivos
desde submarinos. Uno de ellos permaneció encallado
en superficie un día completo en Jacksonville, Florida,
sin ser detectado.[61] Si eso ocurría en los Estados Unidos
en plena guerra, no sorprende que los desembarcos hayan tenido lugar en la Patagonia, como lo afirma gran
cantidad de testigos.[62]

61 Günther W. Gellermann, *Der Andere Auftrag. Agenteneinsätze deutscher U-Boote im Zeiten Weltkrieg*, Bonn, Bernard
& Graefe, 1995.

62 En cuanto al conocimiento que los alemanes tenían de San
Antonio Oeste y las estancias que allí poseían, debe recordarse que
el crucero alemán *Seydlitz*, que pudo eludir la batalla por las Malvinas en marzo de 1915, se refugió en un punto cercano al actual
puerto de San Antonio Oeste y envió un grupo a tierra para que se
comunicara con los colonos alemanes del lugar, estrechamente vinculados con la empresa Lahusen. Durante la Segunda Guerra Mundial
Cristian Lahusen fue un asiduo visitante de la Embajada alemana.
Luego de una reunión de emergencia en dicha sede diplomática
sufrió un infarto que lo llevó a la muerte al conocerse que estaba
implicado en la farsa del complot patagónico nazi.

Nueve meses antes del final del *Graf Spee*, es decir en marzo de 1939, estalló en la prensa de Buenos Aires un incidente que fue conocido como el Complot Patagónico. Varios documentos que acusaban a los alemanes de intentar anexar la Patagonia fueron publicados por diversos diarios del país, luego de que las pruebas fueran entregadas al presidente Ortiz. Sin duda se trataba de un fraude perpetrado por el servicio de inteligencia británico y por un nazi alemán llamado Jürgens que se había pasado al bando enemigo. El embuste se organizó para boicotear un negocio millonario por la compra de material ferroviario que el Estado argentino estaba cerrando con su par alemán, además de intentar frenar la expansión nazi en el sur e influir sobre la opinión pública en contra de los alemanes. El *affaire* consumió varias discusiones en el Congreso y se iniciaron investigaciones, pero sin duda los propios nazis resultaron los más alertados. Varios de sus dirigentes fueron interrogados de manera que sus agrupaciones perdieron parte de la impunidad con la que se movían. Sin embargo, a mediados de 1939 el presunto complot ya era una noticia poco importante, y pasó al olvido con el estallido de la guerra.

En cualquier caso los nazis nunca planearon anexar parte de la Patagonia, o fundar los "Estados Totalitarios del Sur", como se afirmaba. Sabían que tal aventura trasnochada sólo podría traerles problemas. Cabe resaltar que muchos pobladores patagónicos eran de origen británico y, según diversos testimonios recogidos por el autor, la colonia británica había organizado grupos de defensa en caso de que efectivamente se materializara el peligro nazi; por otra parte, resultaba evidente que habría una respuesta armada del gobierno argentino.[63] No obstante sería erróneo concluir –como determina la miopía analítica del "investigador" Ronald Newton– que, como los planes para la anexión formal de territorios patagónicos eran apócrifos, los nazis carecían de intereses en la región.[64] Al contrario habría resultado inverosímil que la cúpula alemana no hubiera considerado y aprovechado las ventajas que le otorgaba la Patagonia como punto de reabastecimiento, y con otros fines: residentes alemanes en lugares estratégicos, la petrolera alemana Astra y sus barcos cisterna en Comodoro Rivadavia, las propiedades de Lahusen diseminadas por la Patagonia, La Teutonia y su estructura, el escaso control del territorio por parte del gobierno argentino.

---

63 El gobierno recelaba de los movimientos alemanes en la región mucho antes del "complot patagónico" y de que el nazismo se adueñara del poder. El aviador Günther Plüschow realizó la primera exploración aérea patagónica, incluida Tierra del Fuego. Al morir en Santa Cruz cuando se accidentó su avión en junio de 1931, sus diarios y fotografías fueron confiscadas por el Ministerio de Guerra, que sospechaba se trataba de un caso de espionaje. Casos de desconfianza semejantes se repitieron durante la década de 1930 sin la mediación ni los complots imaginarios de los servicios de inteligencia británicos.

64 Ronald C. Newton, *El cuarto lado del Triángulo*, Buenos Aires, Sudamericana, 1995.

Como la neutralidad de Suiza, la Patagonia era más útil para el Tercer Reich si se mantenía bajo bandera argentina que bajo la eventual y muy compleja ocupación de sus tropas. Continuaba siendo funcional a sus planes e intereses sin necesidad de desviar material bélico para defender la eventual conquista. Ese análisis explica la decisión del Estado Mayor de la *Kriegsmarine* –la Marina alemana– de prohibir a sus submarinos ataques al sur del paralelo 28°, como también la férrea oposición de Niebuhr a los actos de sabotaje, ya que la destrucción de unos pocos barcos aliados ponía en riesgo a toda la organización, pacientemente montada en el país, y cuyos objetivos trascendían largamente las meras acciones de sabotaje.

A fines de 1929 tuvo lugar un hecho que ilustra claramente en qué medida los alemanes preferían que la Patagonia permaneciera bajo soberanía argentina antes de que cayera en manos ajenas. Ese año el presidente alemán Von Hindenburg comunicó a su par argentino Hipólito Yrigoyen que sus agentes secretos habían descubierto un plan para la inminente invasión chilena de la Patagonia argentina por dos pasos, uno en la provincia del Neuquén con el objetivo de ocupar Zapala y luego Bahía Blanca, y el segundo en Aisen, siguiendo los ríos Mayo y Senguer para apoderarse de Comodoro Rivadavia. El comandante de la escuadrilla aeronaval en Puerto Belgrano, Alberto Sautú Riestra, inspeccionó esos pasos fronterizos y corroboró la concentración de tropas chilenas. Como respuesta el ejército argentino movilizó sus tropas y comenzó tareas de fortificación.

Los chilenos desistieron del ataque.[65] Se ha dicho que Hindenburg alertó al gobierno en agradecimiento leal por la neutralidad argentina durante la Primera Guerra. Pero los hombres del poder se manejan por intereses concretos, no por impulsos de corteses caballeros. Parece más acertada la hipótesis que planteó el propio Riestra: en 1930 Yrigoyen planeaba nacionalizar el petróleo y enfrentar la crisis económica mundial con un acuerdo bilateral entre la Argentina y la Unión Soviética –que enviaría petróleo a cambio de productos argentinos–, intercambio que afectaba gravemente los intereses anglo-norteamericanos. El plan de invasión del presidente Ibáñez, al que no le desagradaba la idea de hacerse con la Patagonia argentina y una salida al Atlántico, sería al mismo tiempo una forma de resguardar aquellos intereses.[66]

Pero más allá de los reabastecimientos efectuados en las costas patagónicas, lo cierto es que la infraestructura montada por los nazis en ese territorio y los vínculos con el gobierno del GOU, perfeccionados por Perón, como lo demostró el investigador Uki Goñi,[67] serían

65 Clemente Dumrauf, *Historia del Chubut*, Buenos Aires, Plus Ultra, 1992.

66 Ibáñez tenía antecedentes. Cuando se desempeñaba como coronel del ejército comandaba un grupo de diez carabineros que en dos ocasiones violaron territorio argentino y dispararon contra tropas de ese país.

67 Uki Goñi, *Perón y los alemanes*, ob.cit.

puestas al servicio de la última operación secreta del Tercer Reich, Ultramar Sur, por la cual más de 50 jerarcas nazis escaparían a la Patagonia.[68] La fuga de criminales alemanes a través de barcos de la empresa Dodero con documentos otorgados por la "Comisión Peralta" bajo órdenes de Perón, ha sido ampliamente estudiada. No así el caso de criminales que cruzaban el Atlántico en naves clandestinas hacia la Argentina.[69] Una de ellas fue el *Falken*, comprada en Suecia por Ludwig Liebhardt, oficial de las SS buscado por los soviéticos por crímenes de guerra. El *Falken* partió de Estocolmo el 30 de diciembre de 1947 y llegó a Buenos Aires siete meses después con Liebhardt a bordo. Al igual que los submarinos que participaron de Ultramar Sur y que arribaron a la Patagonia en julio de 1945, al menos una docena de embarcaciones partiría de la península escandinava hacia el sur argentino transportando macabros personajes del tipo de Liebhardt. Una de ellas estaba al mando del capitán de navío Dietrich Meybohn, quien ya había comenzado el 14 de abril de 1942, mientras residía en la Argentina, un viaje con el velero *Halcón* desde el puerto de Olivos –en Buenos Aires– a Tenerife, acompañado por tres germano-argentinos, con el propósito de sumarse todos al ejército alemán.

---

68 Carlos De Nápoli y Juan Salinas, *Ultramar Sur*, Buenos Aires, Grupo Editorial Norma, 2002.

69 Jorge Camarasa, *La enviada*, Buenos Aires, Planeta, 1998.

La Operación Ultramar Sur, debidamente expuesta
en el libro que lleva su nombre, como la estructura clandestina montada por el *Etappendienst*, no habrían sido
posibles sin la colaboración de estancieros alemanes.[70]

Un indicio sobre los personajes que habrían escapado en los submarinos puede rastrearse a través del hermano de Eva Perón. Juan Duarte era íntimo amigo de Rodolfo Freude, hijo de Ludwig, millonario alemán que
se haría cargo del espionaje nazi cuando en 1944 cerró la
Embajada alemana. Perón, destacado en el regimiento de
montaña de Mendoza, conoció a Ludwig Freude cuando
el empresario alemán construía caminos entre Mendoza
y San Juan para la Compañía General de Construcciones. Cuando los norteamericanos pidieron la extradición
de Ludwig Perón le otorgó la ciudadanía argentina,
salvándolo del exilio. Freude le devolvería el favor en
varias ocasiones, entre otras al prestarle su casa del Tigre para que se refugiara con Evita en octubre de 1945,
donde sería detenido. "Rudi", su hijo, fue designado
por Perón jefe de la División Informaciones y se encar-
garía de organizar la llegada de criminales nazis al país

---

70 A pesar de que sobre el arribo de dos submarinos alemanes
en julio y agosto de 1945 a la base naval de Mar del Plata se haya
intentado dar las explicaciones más desorbitadas, como la del propio
comandante del U-977, Heinz Schäffer, la abundancia de pruebas
sobre la existencia de la Operación Ultramar Sur es tal que quienes
los niegan o bien desconocen tales pruebas o responden a macabros intereses políticos. Cfr. Heinz Schäffer, *Geheimnis um U-977*,
Buenos Aires, Editorial Prometheus, 1950.

con la Comisión Peralta, al mando del antisemita Santiago Peralta. Una tarde de enero en 1946 Juan Duarte se encontraba en el bar Jousten cuando un desconocido se le acercó. Era alemán y, según le confesó, se había fugado de Europa al final de la guerra y se había ocultado en una estancia patagónica por tres meses. Decía representar a otras personas que se habían escapado con bienes y dinero, por lo que le solicitaba concretar una reunión con Perón a cambio de una buena suma. El alemán deseaba que Perón los aceptara como "inversores" en el país. Cuatro días después Duarte vio nuevamente al alemán, ahora de paso por su oficina hacia el despacho de Perón, donde permanecieron reunidos dos horas. Al terminar la entrevista Perón le susurró a Duarte que el alemán que acababa de retirarse era nada menos que la mano derecha de Hitler, a quien medio mundo estaba buscando. Esa misma noche el hermano de Evita recibió el pago, un bolso de cuero lleno de billetes y un Cézanne original.[71] Ése no sería el último negocio que Duarte cerraría con los nazis. Participaría luego en operaciones comerciales de la empresa Lahusen y compraría al matrimonio nazi Eichhorn el hotel Edén, en La Falda, Córdoba, donde se habían hospedado oficiales del acorazado *Graf Spee*.[72]

71 Jorge Camarasa, *La última noche de Juan Duarte*, Buenos Aires, Editorial Sudamericana, 2003.

72 La cantidad de argentinos comprometidos con el régimen nazi resulta asombrosa. Sin embargo, su actividad en la República Argentina es aún hoy uno de los secretos mejor guardados. En la medida en que el tiempo pasa pueden conocerse hechos aislados que resultan llamativos, pero que no dejan ver la configuración de la telaraña y menos aún del temible insecto que la comanda. Solamente algunos restos se encuentran aquí o allá, de manera tal que reconstruir este espectro del pasado se torna una tarea ímproba, con el amargo sabor que provoca saber por anticipado que las posibilidades de éxito son escasas. El Estado Argentino es el escollo principal para la tarea del investigador. Cuando un grupo de miembros de la CEANA intentó cuantificar el tráfico ilegal de obras de arte llegadas del Tercer Reich y comercializadas en el país, se encontraron con que la Aduana Nacional había quemado todos los documentos, cumpliendo la orden de eliminar cualquier resguardo de más de diez años de antigüedad, de la misma forma en que los archivos de Fabricaciones Militares fueron almacenados junto a un deposito de combustible que no tardaría en estallar. De bibliotecas y museos se robaron o desaparecieron infinitos documentos, bienes –del Museo de Armas de la Nación por ejemplo– y resulta casi imposible conseguir material fílmico de 1945, aunque estos documentos eran propiedad del Estado.

TERCERA PARTE

Agua

La invasión alemana a las Islas Malvinas

Aún se considera a la Batalla de las Falklands de 1914 como un acto bélico aislado y desesperado, cuando en realidad los germanos del II Imperio intentaban a todas luces tomar las islas por asalto desde el mismo momento en que la flota dejó China. Explicar correctamente el suceso hace la diferencia entre describir una batalla naval o relatar el intento de los alemanes de apoderarse de territorio reclamado con justicia por la República Argentina, pues ciertamente la batalla naval fue consecuencia de una suma de acontecimientos fundados en la doctrina de la *Weltpolitik* enunciada a fines del siglo XIX por el emperador alemán Guillermo II.

El crecimiento económico y una serie de avances técnicos provocaron en el seno del poder imperial la idea de que Alemania merecía formar parte del reparto colonial establecido por las potencias. De ese modo lograron posesiones en África y algunas islas en el Pacífico, probablemente más de lo previsible ya que el Reich había llegado demasiado tarde al reparto.[1] Pero para

---

1 Sin embargo la política de absoluta barbarie aplicada por los alemanes los privó de usufructuar esos territorios.

desafiar al poderío británico era necesario además poseer, más allá de modernas y poderosas naves, bases de aprovisionamiento cuyo territorio lindante proveyera de alimentos frescos, combustibles y agua potable. Este asunto resultaría tan crucial como el poder de los barcos que se botaban. Las calderas de todas las versiones de cruceros consumían enormes cantidades de carbón; si marchaban a toda máquina agotaban el carbón en una quincena, o aun menos, dependiendo del poder de los motores, de la velocidad y del tamaño y carga de las bodegas. Los alemanes habían establecido un sistema de aprovisionamiento denominado *Etappendienst,* con base en países que, según el cálculo germano, se declararían neutrales en caso de guerra. Si Alemania pretendía intervenir en la competencia marina, desde esos puertos debía trasladarse de un lado a otro una compleja y costosa organización de barcos nodriza. Por ello, durante siglos Gran Bretaña había ido ocupando lugares clave para el control de la navegación. Por ejemplo, desde Malvinas controlaban el Estrecho de Magallanes y el Cabo de Hornos, sencillamente el paso principal entre los dos océanos más grandes de la Tierra. Entre las alternativas analizadas por los alemanes surgía clara la imposibilidad de invadir la Patagonia o bien poseer en esas tierras una base fija visible y estable. Un evento así provocaría la reacción militar de los afectados –la Argentina o Chile–, además de la eventual acción de Gran Bretaña o los Estados Unidos. Obtener una base en el sector continental sólo sería posible si los colonos alemanes instalados en el sur, dueños de tierras, se organizaran para proclamar la independencia de un sector, o para proveer avituallamiento clandestino. Como puede observarse, la opción continental resultaba en extremo compleja en el corto plazo, aunque no descartable si se disponía de un programa de largo aliento, que en efecto existió.

Pero el poder germano se caracterizaba por la impaciencia. A raíz del atentado en Sarajevo se produjo una serie de incidentes que determinaron el inicio de la guerra entre Alemania y Francia, el Reino Unido y Rusia para extenderse pronto a casi todo el mundo. La flota germana del Pacífico estaba asentada en la China, en Tsing Tao, bajo las órdenes de Maximilian (Graf) von Spee.[2]

---

2 "Bajo la directa inspiración de Guillermo, el almirante Von Tirpitz es el extraordinario productor de esa flota imperial, la *Kriegsmarine* [de guerra], paralela a la *Handelsmarine* [comercial]. La importancia de esta última se mostraría durante la guerra, no por los mercantes armados, como en el caso inglés, sino por la red de buques carboneros que abastecían a la primera desde los puntos más insospechados, y abusando a conciencia de los países neutrales. Entre 1899 y 1907 el presupuesto naval alemán aumentó el 73 por ciento. El almirante sir John Fischer, luego lord Fischer, fue el enérgico modernizador de la enorme pero vetusta flota británica. Entró en la Royal Navy a los 13 años y llegó a almirante a los 49. Su aplicado estudio de la batalla ruso-japonesa de Tsushima (1905) lo llevó a la convicción de que había que eliminar todos los elementos obsoletos –eliminó 150 buques, demasiado débiles para combatir en la guerra moderna, demasiado lentos para huir si era necesario– para concentrarse, desde 1906, en los modernos cruceros acorazados *Dreadnought* (sin temor a nada) de 17 a 20.000 toneladas, artillados solamente con cañones de 305 milímetros, repartidos en cuatro o

Desatada la Primera Guerra en julio-agosto de 1914, la
flota de Von Spee debió abandonar la base china y elegir
un nuevo rumbo. La decisión estaba tomada: invadiría
las Islas Malvinas.[3]

Mientras Gran Bretaña estudiaba el probable plan de
acción de Von Spee, el almirante Fischer diría a Churchill
–por entonces Primer Lord del Almirantazgo–: "Si yo
fuera Spee me apoderaría de las Falklands. Las fortifi-
caría y desde allí controlaría el tráfico marítimo del Atlántico Sur". La invasión era indispensable para quienes
carecían de puntos eficientes de aprovisionamiento y
permitiría a Alemania comenzar a disputar seriamente
el control de los mares. Se trataba no sólo de una decisión lógica sino además posible y sumamente rentable
desde todo punto de vista. Por otro lado, el invento del
motor Diesel, la posibilidad de utilizar fuel oil en lugar

---

cinco torres, buques que superaban a los de cualquier otra flota excepto la alemana... porque también ésta los construía. De modo que
la carrera se reducía a una cuestión de cantidad. Flotas y presupues-
tos iban creciendo en ambos países a este ritmo (*Dreadnoughts*):
1906: Gran Bretaña 3, Alemania 3; 1907: Gran Bretaña 3, Alemania
3; 1908: Gran Bretaña 2, Alemania 4. A este ritmo, para 1914 Inglaterra tendría 22 –tuvo 24– y Alemania 16 –tuvo 17–. Si aún la diferencia era importante, ya Britannia podía despedirse del *two power
standard* [doctrina que implicaba la necesidad de poseer una fuerza
naval superior a la suma de las dos naciones que la seguían en po-
derío]. Pero los planes de Von Tirpitz iban hasta 1920, con cuarenta
superunidades navales." *Todo es historia*, n° 355, junio de 1995.

3 Véase *Achtung, Asien Marschiert!*, Berlín, 1934.

de carbón y el descubrimiento de petróleo en Comodoro Rivadavia volverían al enclave poco menos que inexpugnable, bajando al mínimo los costos y las naves necesarias de apoyo en lugar del enjambre náutico del que se valían los alemanes. Si además lograban trasladar a las islas suficiente cantidad de tropas y sobre todo de submarinos, que por entonces asomaban como arma temible, las posibilidades de los ingleses de recuperar su base serían ínfimas.[4]

En viaje hacia el Cabo de Hornos, la flota de Spee estaba compuesta por los cruceros pesados *Scharnhorst* y *Gneisenau*, gemelos construidos en 1906, además de otros cuatro cruceros livianos bautizados con nombres de ciudades: *Nürnberg, Dresden, Leipzig* y *Emden*. El *Dresden* y el *Karlsruhe* se habían retrasado, practicando guerra de corso.

Si bien se afirmaron cantidad de razones, la única verdad era que la flota inglesa con base en Malvinas y comandada por el almirante sir Christopher Cradock debía detener a la de Spee con el único objetivo de ganar tiempo hasta que llegaran refuerzos desde Gran Bretaña. Por tal razón era conveniente atacar a Von Spee en el Pacífico. El buque insignia de la flota inglesa del Atlántico Sur era el ahora viejo acorazado *Good Hope* y contaba además con los cruceros *Canopus, Monmouth, Glasgow* y *Otranto*, que era un mercante artillado. Cradock sabía que se enfrentaría a Von Spee en inferioridad de

---

4 Cfr. Juan Carlos Vedoya, "La captura del *Presidente Mitre*", en *Todo es Historia*, n° 135, agosto de 1978.

condiciones y premonitoriamente, antes de la partida, enterró sus condecoraciones en el jardín de la residencia de gobernador de Malvinas para que no cayeran en manos del enemigo.

La escuadra inglesa se reunió entre el 22 y el 23 de octubre de 1914 en los Chonos, al sur de Chiloé.[5] El 1 de noviembre de 1914 el *Good Hope*, seguido por el *Glasgow*, el *Monmouth* y el *Otranto*, avanzaron hacia el norte con la intención de interceptar a la flota de Von Spee, que avanzaba hacia el sur. Al llegar a la altura de Coronel, al sur de Concepción, se produjo el encuentro. Von Spee hundió al *Good Hope* y al *Monmouth*, mientras que el *Glasgow*, el *Otranto* y el *Canopus* lograron escapar, aunque dañados.

Luego de grandes festejos en Valparaíso, que sólo contribuyeron a demorar la travesía, las naves provistas al máximo de carbón cruzaron el Cabo de Hornos el 2 de diciembre de 1914. Von Spee había decidido invadir las islas el 8 de diciembre, pero a punto de alcanzar Port Stanley se encontró con una flota completa al mando de sir Frederick Sturdee. Dos modernos *dreadnoughts* la comandaban: el *Invincible* y el *Inflexible* de 17.000 toneladas y 16 cañones de 305 milímetros. Pero también los esperaban el *Carnarvon*, el *Bristol*, el *Cornwall*, el *Kent* y el *Glasgow*. El *Canopus* actuaría como batería costera.

---

5 Los alemanes se aprovisionaban de carbón a través de la empresa Kosmos, violando sin mayores problemas la neutralidad chilena, mientras que abastecía a los británicos la Pacific Steam Navigation Company, con mayores precauciones.

Sólo escapó del desastre el *Dresden*, con Wilhelm Canaris a bordo. Miles de marinos germanos murieron en las frías aguas del sur, entre ellos Maximilian von Spee y dos de sus hijos.

Los biógrafos de Canaris presentaron la fuga del *Dresden* como un hecho heroico, aunque la verdad es que el crucero logró salvarse por encontrarse retrasado respecto de sus compañeros –las razones no son muy claras– y por la valentía de Von Spee que decidió enfrentar a los ingleses para permitir la retirada del resto de la flota. Luego de la derrota se dijo que el veloz y precoz fugitivo se había convertido en un fantasma que rondaba los mares del sur, pero lo cierto es que debido a la velocidad que imprimió a la fuga había consumido todo el carbón. Para colmo, después de la Batalla de Coronel los chilenos prohibieron a los beligerantes tomar carbón en sus puertos. Los fantasmas mendigaban combustible y alimentos en Punta Arenas mientras concedían entrevistas a la prensa. Cuando los británicos supieron la posición del *Dresden* se limitaron a cercarlo, y cuando eso sucedió sus tripulantes se rindieron sin ofrecer demasiada resistencia.[6] En esas tierras Canaris cimentó su fama en una suma de falsedades. Era apenas un conservador que sobrevivió por no presentar combate, nunca. Una vez internado en Quiriquina, Chile, su fuga tampoco fue gloriosa, perjudicando por otra parte a sus compañeros, que tenían mejores planes. Se hundió

6 La tripulación germana hundió la nave.

luego con el *Ludovico* por un error de navegación, y más tarde volvió a rendirse como comandante de un submarino. Ésa era toda la gloria acumulada por el almirante Canaris. Por tal razón ninguno de sus camaradas lo estimaba, y sólo sus contactos con la cúpula del partido le permitieron llegar a la jefatura de la *Abwher*. Sin embargo, percibió claramente que el resultado de la proyectada invasión de Malvinas habría sido diferente si la fuerza de Spee hubiera contado con apoyo de submarinos, cuestión que se convirtió para Canaris en una obsesión durante todo el desarrollo de la guerra. Tras el hundimiento del *Ludovico* en Bahía Creek, y contrariamente a quienes le inventaron una "etapa Madrid", Canaris ingresó en la fuerza submarina imperial, donde, luego del indispensable adiestramiento, pasó a comandar varios submarinos.[7] Con el U-34 hundió al *Djibouti* francés, al *Maizar* británico, al *Ville de Verdun* francés, y con el UB-128 al *Champlain*, también de Francia. Vale mencionar que lo que a primera vista parece una campaña exitosa empalidece completamente ante decenas de capitanes que superaron los 20, 30, 50 y 100 hundimientos.

Lo importante, de todos modos, fue el fracaso del plan de invasión de las Islas Malvinas, única posibilidad

---

[7] El U-38 desde el 16 de septiembre de 1917 hasta el 15 de noviembre, el UC-27 desde el 28 de noviembre de 1917 hasta el 14 de enero de 1918, el U-47 sólo por un día, el U-34 desde el 18 de enero hasta el 13 de marzo y el UB-128 desde el 11 de mayo de 1918 hasta el 29 de noviembre de 1918.

cierta de abastecimiento regular de la flota alemana, única alternativa concebible para equilibrar el potencial marítimo británico. La derrota enfrentó a Alemania, como se verá, con una última opción: ocupar parte del Sector Antártico.

Manteca, acero y ballenas

La pérdida de colonias había privado a Alemania de sus fuentes de grasas animales y vegetales, necesidad que debió suplir en los mercados noruego y británico donde compraba gran parte de la producción de aceite de ballena de sus flotas pesqueras. El aceite es el principal producto que se obtiene de la ballenas. También se aprovecha la osamenta, mientras que en el período de entreguerras la carne comenzaba a utilizarse para consumo de animales y fertilizante, aunque en algunos casos, como en Japón, se procesaba para consumo humano. Además, en esa época empezaba a extraerse de los cetáceos hormonas, vitaminas y diversos productos farmacéuticos.[8]

En los años veinte el aceite de ballena se convirtió en un producto muy requerido en Alemania y otros países europeos ya que se utilizaba como materia prima

8 Cuando se divulgó el proceso de hidrogenación, el aceite de ballena fue apto para otras aplicaciones, aumentando su demanda. Véase R. Brian, "Antartic Whaling 1938-39", en *Polar Record*, vol. 18, diciembre de 1939.

para la margarina, el jabón y la industria de la limpieza, uso que determinó el aumento de su demanda y, por consiguiente, una fuerte expansión de las flotas balleneras. Fue así como el círculo de pesqueros alemanes, una empresa de Hamburgo y otra de Bremen, comenzaron a proyectar la construcción de una flota propia, plan que no se concretaría sino luego de la crisis económica mundial en 1930, momento en que se capturaban en la Antártida 30.000 ballenas azules por año, es decir, más que la población actual de esa especie. Será el nazismo en el poder el que inicie el período más sangriento de la caza ballenera alemana, tras inaugurar el 30 de octubre de 1934, en Wesermünde, la Ballenera Alemana S.A., la *Deutsche Walfang* AG. Pues, además de los preparativos secretos para la guerra, el nazismo encaminaba su economía hacia el autoabastecimiento y la autarquía, propósito que incluyó al aceite de ballena. En 1935 Alemania consumía la mitad de la producción mundial de ese producto, situación que lo volvía dependiente de Gran Bretaña y Noruega.

El mariscal del Reich Hermann Göring pronunciaba en 1936 un discurso en Wesermünde en el que declaraba el propósito del gobierno, sin medir esfuerzos, por alcanzar la autarquía económica. Ese mismo verano había pronunciado en un programa radial la famosa frase "los cañones nos hacen poderosos, la manteca nos hace gordos". Estas declaraciones, inscriptas en el marco del plan cuatrienal, coincidían con las palabras de Mussolini cuando aconsejó a los trabajadores italianos apretarse los cinturones, lo cual significaba que el rearme se llevaría a cabo a través del sacrificio de la clase trabajadora.[9]

Sin embargo, los jerarcas nacionalsocialistas sabían que la falta de previsión durante la Primera Guerra Mundial había derivado en escasez y que las carencias habían provocado revueltas de consecuencias fatales. Por eso, además de cañones los nazis intentarían obtener por todos los medios, si no manteca, al menos margarina y demás grasas necesarias para el consumo de la población y para la fabricación de productos de limpieza: la caza de ballenas se convirtió en objetivo prioritario.[10]

Si bien los controles internacionales dificultaban al nazismo la obtención de materiales, Alemania logró adquirir en empresas noruegas ciertos insumos esenciales para la construcción de balleneros propios. La empresa de jabones y productos de limpieza Henkel consiguió en 1935 la primera financiación para la construcción de una flota ballenera, alegando la necesidad de aceite para su producción de jabones. En diciembre de ese mismo

9 A propósito de este discurso de la manteca y el acero, existe una excelente obra dadaísta del artista John Heartfield que lo parodia, llamada *¡Hurra, la manteca se ha acabado!*: en casa de una familia oficialista, cuyas paredes han sido empapeladas con esvásticas, los ocupantes almuerzan una bicicleta, una pala y un bulón. Véase Toby Clark, *Arte y propaganda en el siglo xx*, Madrid, Ediciones Akal, 1997.

10 Karl Brandt, "Whale Oil: An Economic Analisys" en *Fats and Oils Studies* n°7, Food Research Institute, Stanford University, California, junio de 1940.

año los astilleros Blohm & Voss transformaron el buque de transporte *Württemberg* en el ballenero nodriza *Jan Wellem*, además de construir seis modernos arponeros. A la Henkel le seguiría la empresa Walter Rau con el ballenero *C. A. Larsen*, construido por los británicos, que comenzaría a operar ese mismo año para la empresa alemana Hamburger Walfang-Kontor GmbH. Pronto la industria de la margarina se sumó a la pesca ballenera tras encargar a la amargamente famosa empresa británico-holandesa Unilever la construcción de dos modernos balleneros en Alemania, el *Terje Viken*, bajo bandera británica, y el *Unitas*, que viajaría bajo bandera alemana.[11] No sorprende la rapidez con que las empresas alemanas acapararon el rubro, ya que el nacionalsocialismo obligaba a las empresas extranjeras a reinvertir sus ganancias en Alemania. Walter Rau había fundado en 1934 la Sociedad Alemana Ballenera S.A. y a través de ella construyó en los astilleros Seebeck una flota completa: un buque factoría y ocho arponeros, que entre 1937 y 1939 cazarían en las aguas antárticas. Se trataba del buque nodriza *Walter Rau,* un verdadero híbrido entre un cisterna y un ballenero, aunque mucho más eficaz que el antecesor *Jan Wellem*, ya que su concepción técnica más moderna lo dotó de un sistema mecánico para elevar a las desafortunadas ballenas sobre una cubierta de arrastre ubicada en la popa, algo típico de los nazis, es decir, el perfeccionamiento de las

11 En 1937 fue vendido a la empresa de Hamburgo Jurgens Van Den Bergh Margarine-Verkaufs Union.

técnicas de asesinato industrial. Además las chimeneas y el puente se reconfiguraron para despejar la cubierta y se incrementó la capacidad de carga. Funcionaba bajo cubierta una fábrica completa para el procesamiento de aceite de ballena, incluido un frigorífico, puesto que se aprovechaban los huesos y la carne que se enlataba a bordo. El mismo astillero construyó los arponeros *Rau I* al *VIII*, que seguirían a su ballenero nodriza, además de los *Terje* 1 al 9 para la empresa Krog Hansen, y, en los años siguientes, los arponeros *Treff IV* y *V* para la Sociedad Alemana Ballenera en Hamburgo, hija de la Henkel, y los arponeros *Wiking* 6 al 10, además de los *Wal* 8 y 9. Si bien estaba prevista la construcción de otras flotas de buques factorías de gigantescas dimensiones, afortunadamente esos planes fueron cancelados tras el inicio de la guerra.

El 26 de septiembre de 1936 zarpó de Hamburgo la primera expedición ballenera alemana con el *Jan Wellem* y los arponeros *Treff I* al *VI*, en dirección al Antártico.[12] Las 120.000 toneladas de aceite de ballena obtenidos permitieron a Alemania economizar el 30 por ciento del consumo de margarina y el ocho por ciento de grasas. Al año siguiente los nazis intensificaron la caza al aumentar su flota a siete barcos nodriza, cuatro de los cuales –el *Südmeer*, el *Wikinger*, el *C.A. Larsen* y el

---

12 Wernwe Sarholz, "Schon 1934 erste Deutsche Walfang AG in Wesermünde Gegründet", en *Niederdt Heimatblatt* n° 520, abril de 1993.

Skytteren– habían sido comprados a los noruegos, y tres –el *Jan Wellem*, el *Unitas*, el *Walter Rau*– fueron construidos en astilleros alemanes. En la temporada de caza 1937-1938, operando para la empresa alemana Hamburger Walfang-Kontor GmbH, obtuvieron 91.669 toneladas de aceite de 46.039 ballenas. Con esas capturas se ubicaban sólo detrás de Noruega y Gran Bretaña, pero antes que Japón. Comparada con la temporada anterior, la de ese año significó para Alemania un aumento en la participación de ballenas capturadas del 1,8 al 10,7 por ciento del total, y también el incremento de su producción de aceite, que del 1,9 pasó a representar el 10,2 por ciento de la producción mundial. En la temporada 1938-1939, la última anterior al conflicto bélico, los barcos alemanes fueron responsables del 12 por ciento de ballenas capturadas.[13]

A pesar de esos incrementos, el autoabastecimiento de aceite de ballena estaba lejos de concretarse, de manera que Alemania siguió siendo el principal importador mundial de ese insumo. Por otro lado, continuaba la dependencia de Noruega ya que los alemanes necesitaban de las expertas tripulaciones del país nórdico, especialmente sus arponeros y cortadores, aunque los noruegos se beneficiaban a su vez con el aporte tecnológico alemán, pues sus balleneros utilizaban la maquinaria germana para el procesamiento de productos derivados

13 Edmund Winterhoff, *Walfang in der Antarktis*, Oldenburg, Hamburgo, Editorial Gerhard Stalling, 1974.

de las ballenas.[14] En cuanto al rendimiento, sólo las dos flotas construidas en Alemania eran rentables mientras las otras cinco, constituidas por viejos barcos modificados, no daban resultados económicos satisfactorios debido, en parte, al decrecimiento en la población de ballenas que las distintas empresas disputaban, lo que las obligaba a utilizar métodos más modernos para ser competitivas.[15] La modernización derivó a su vez en una mayor declinación del número de cetáceos, desembocando en una espiral extintiva.

La Convención Internacional de Génova había impuesto un máximo de presas y de barcos balleneros como consecuencia de la crisis del aceite de ballena en Noruega en 1931, cuando las empresas balleneras de ese país y las británicas conformaron un cartel para las temporadas 1932-1934.[16] El cartel estimaba la cantidad de aceite que podía colocarse en el mercado mundial a buen precio y distribuía las cuotas entre sus miembros, lo que estimulaba la eficiencia para abaratar costos. Las restricciones operaban sólo al sur de la latitud 40°, de modo

---

14 Joh Tønnessen y Arne Odd Johnsen, *The History of Modern Whaling*, London, C. Hurst & Co. Ltd. y Canberra, Australian National University Press, 1982.

15 Hanns Lemmel, *Deutschlands Interessen am Walfang*, Seifensieder-Zeitung, 1934.

16 La crisis se produjo por la convergencia de varios factores como la crisis de 1929-1930 que restringió el consumo, la caza indiscriminada de cetáceos con arpones explosivos y el reemplazo paulatino del aceite animal por productos vegetales y derivados del petróleo.

que los balleneros podían cazar en aguas calientes sin restricciones. En 1937 y 1938 se realizaron en Londres otras dos conferencias para racionalizar la industria ballenera, pero su eficacia fue mínima. La necesidad de una regulación internacional fuerte era ineludible, no sólo desde el punto de vista ecológico sino también económico, ya que el número de ballenas jóvenes estaba descendiendo hasta niveles críticos.[17]

Si el aceite de ballena era un producto valioso a fines de la década de 1930, lo sería aún más en caso de guerra. En 1935 Alemania utilizaba aceite de ballena para el 54 por ciento de su producción de margarina y manteca compuesta, mientras que en Gran Bretaña ascendía al 41 por ciento en la fabricación de margarina, el 28 por ciento de manteca y el 16 por ciento de sopas. Cuando la guerra se convirtió en una posibilidad cercana, los intereses balleneros se acomodaron a semejanza de las alianzas bélicas: noruegos con británicos y alemanes con japoneses. Más tarde, cuando las tropas del Reich ocuparon

---

17 Además, la cantidad de ballenas a capturar estaba determinada por la cantidad de aceite requerida por la industria de la margarina u otras que lo utilizaran, basándose en cálculos comparativos de precios de otros aceites y grasas que pudieran servir al mismo propósito. El poderoso Trust Unilever, que dominaba el mercado del producto, imponía fuertes tarifas a los países interesados en comprar aceite de ballena. En cierta forma, Unilever decidía cuántas ballenas morían cada año. Véase Kurt Schubert, "Der Walfang der Gegenwart", en *Handbuch der Seefischerei Nordeuropas*, G. Meseck y J. Lundbeck (comps.), Stuttgart, Schweizerbartsche, 1955.

Noruega, confiscaron su flota ballenera y otros materiales vinculados y encargaron a los astilleros del país ocupado la construcción de nuevos balleneros que planeaban utilizar una vez terminada la guerra.[18] No obstante, cuando se hizo evidente que la guerra se extendería más de lo previsto, los balleneros y sus arponeros se transformaron en improvisadas unidades de guerra.[19]

El valor estratégico de la caza de ballenas en la economía nazi derivó en planes expansionistas hacia el continente blanco. De la misma forma en que pretendían apropiarse de la fértil región de las "tierras negras" de la Unión Soviética, buscaban adueñarse del hábitat de las ballenas, que desde su perspectiva no eran más que un recurso. Por otro lado, disponer de una factoría en el sexto continente les permitiría faenar ballenas más allá de las posibilidades de sus buques. No sólo la obtención de ese preciado insumo sino también razones de índole militar, que se analizarán de inmediato, decidieron a los nazis a intentar la conquista de la Antártida.

El dominio del Atlántico Sur

Al comenzar la Primera Guerra Mundial los alemanes poseían colonias en África, además de una base naval

---

18 Esos barcos operarían como balleneros en la posguerra pero en favor de intereses británicos, noruegos, soviéticos o incluso argentinos, a través del magnate Aristóteles Onassis.

19 Erich Gröner, *Die Deutschen Kriegsschiffe 1815-1945*, Berlin, Bernard & Graefe, 1993.

en la China y enclaves en el Pacífico, es decir que contaban con bases de reaprovisionamiento en todos los océanos salvo en el Atlántico Sur pues pronto, en la guerra, perderían sus puertos en Namibia. El *Etappendienst* suplía esa carencia de bases en el Atlántico Sur –como quedó demostrado con el reaprovisionamiento del *Dresden* en Chubut–, pero los servicios que tal organización prestaba no podían compararse con las ventajas que ofrecía una base naval oficial. Si el almirante Spee hubiera logrado tomar las Islas Malvinas la situación quizás se habría revertido; pero su fracaso y la derrota en la guerra dejaron a los alemanes sin bases. En realidad, perdieron gran parte de sus posesiones durante el primer año del conflicto: Tsingtao, el Archipiélago de Bismarck, Nueva Guinea Alemana y Togo. El África Sudoccidental alemana, es decir la actual Namibia, que en cierta forma podría haber servido como base naval para el Atlántico Central y Meridional, sería perdida en 1915 mientras que Camerún, un poco más al norte, en 1916. Sólo conservaron hasta el final de la contienda el África Oriental alemana, luego Tanzania. Si bien esos pueblos continuarían bajo el dominio de otros imperios, la retirada de los alemanes significó un alivio si se considera la ferocidad, los crímenes, violaciones y diversos actos de barbarie que en ellos habían cometido. Alcanza con mencionar que alrededor de la mitad de la población de Namibia fue eliminada, un acto que constituyó el primer genocidio del siglo XX. Fue justamente allí donde los alemanes montaron por primera vez los *Konzentriationslagern*, los campos de concentración.

A punto de desencadenarse un nuevo conflicto mundial, la necesidad de una base en Atlántico Sur se hacía evidente, sobre todo por el alcance de acción de cruceros y submarinos, la consecuente necesidad de suministros que esas naves requerían, pero también por el control de los pasos interoceánicos que bases situadas estratégicamente podían otorgar, como el caso de las Islas Malvinas. La importancia que el Eje otorgaba a esos pasos se reflejó en el intento por inhabilitar los enclaves que se encontraban bajo control aliado. Así fue como italianos y alemanes planearon atacar el Canal de Suez utilizando los cazatorpederos italianos *Leone, Pantera* y *Tigre* con el apoyo de una escuadrilla de bombarderos alemanes Heinkel He-111.[20] Los japoneses planearon por su parte un ataque al canal de Panamá con pequeños submarinos como los que utilizaron en Pearl Harbor y con los enormes submarinos *Sen Toku*, verdaderos portaaviones submarinos.[21]

La red de alianzas internacionales permitió que el nazismo dispusiera de bases en el Índico, gracias a la Somalia italiana, mientras los nipones les brindaban bases

20 El operativo abortó a último momento por decisión de los alemanes que informaron la inviabilidad de la operación y solicitaron un cambio de planes, por lo cual la escuadrilla italiana se vio obligada a regresar a toda marcha para evitar a la aviación británica que dominaba los cielos africanos.

21 Desplazaban 6.560 toneladas en inmersión. En su interior transportaban aviones que despegaban desde la proa del submarino gracias a una catapulta.

en el sector occidental del Pacífico. Pero el Atlántico Meridional continuaba fuera de su alcance. En esa región y en caso de guerra podrían obtener productos indispensables provenientes del sudeste asiático, pero además desde la zona partía infinidad de suministros para los países aliados, especialmente de Ciudad del Cabo, Freetown y Buenos Aires.[22] Comenzada la guerra los barcos alemanes intentaron romper el bloqueo británico y, si bien en ciertas ocasiones lo lograron, con el tiempo se transformó en una tarea imposible por lo que decidieron el uso de submarinos de gran tamaño para el transporte de materiales estratégicos de alto valor para el esfuerzo de guerra. Por otro lado, para reforzar la armada japonesa enviaron al Índico unos submarinos que luego serían conocidos como "submarinos de los Monzones". Durante la ocupación nipona contaban con una base en Batavia, Indonesia, y al regresar a Alemania transportaban materiales estratégicos como wolframio, selenio, molibdeno, caucho y zinc. Estaban apoyados por "vacas lecheras", es decir los submarinos-cisterna tipo XIX, que utilizaban su amplia capacidad para transportar suministros a submarinos que operaban en teatros lejanos como las costas de Norteamérica, el Caribe, el Índico o el Atlántico Meridional. Estos submarinos funcionaban también como hospital, panadería o incluso prisión. Si bien algunas vacas lecheras llegaron

---

22 Información del Ministerio de Relaciones Exteriores y Culto de la República Argentina.

a reaprovisionar a más de medio centenar de submarinos y fueron responsables del diez por ciento del tonelaje hundido por los submarinos alemanes, la verdad es que demostraron ser difíciles de maniobrar y muy vulnerables. Además su pérdida significaba dejar sin suministros a buen número de submarinos, corriendo el riesgo de perderlos por falta de combustible. Por otro lado, los reaprovisionamientos se realizaban en superficie y en alta mar, razón por la cual el submarino quedaba peligrosamente expuesto a los radares aliados por un tiempo considerable.[23] Tanto los alimentos como el combustible eran transportados desde Europa, aunque en ocasiones los adquirían y cargaban directamente en bases clandestinas patagónicas o antárticas, ahorrando recursos y submarinos.

Los submarinos que actuaban en el Índico operaban desde la base de Penang, de manera que en cierta forma ya no necesitaban las vacas lecheras, pero los que navegaban el Atlántico Sur continuaban sin disponer de bases navales.[24]

23 Durante el conflicto se realizó un solo reaprovisionamiento en inmersión relatado sintéticamente por Heinz Schäffer en *El secreto del U-977*, Buenos Aires, edición especial para la Biblioteca del Oficial de Marina, 1955.

24 El tráfico con Japón fue recíproco. Fue así como la travesía del submarino japonés I-29 en julio de 1943 permitió al Imperio del Sol Naciente desarrollar los avanzados cazas *Nakajima Kikka* y *Mitsubishi Shusui*, construidos sobre la base del alemán *Messerschmitt Me-262 Schwalbe*, primer caza a reacción, y al *Me-163 Komet*, único caza cohete del mundo. Cfr. Alfred Price, *Luftwaffe*, Madrid, Editorial San Martín, 1980.

Contar con una base en el Atlántico Meridional era un problema difícil de resolver para la *Kriegsmarine*. Las alternativas eran escasas: una base en África era impensable, pues su territorio estaba completamente controlado por sus enemigos; si bien los países de América del Sur eran neutrales, no podía descartarse la posibilidad de que finalmente se inclinaran por el bando aliado. Como ventaja, el *Etappendienst* estaba bien organizado en la región, además de las considerables colonias alemanas en Brasil y la Argentina, propietarios de estancias y puertos seguros, sin control militar. Si bien se realizaron reabastecimientos en las desoladas costas patagónicas, imposibles de mantener vigiladas dada su enorme extensión y su poca población, el combustible y los víveres que los colonos y el *Etappendienst* podían brindar no eran suficientes, además de que no contaban con infraestructura para reparaciones ni podían abastecer de municiones. Sólo quedaba un lugar en el Atlántico Sur donde podrían instalarse bases que cumplieran con estos requisitos. Ese lugar era la Antártida, sus islas adyacentes y sus regiones aún no reclamadas y prácticamente inexploradas, por lo que los nazis centraron en esas regiones sus proyectos expansionistas. No obstante, algunos inconvenientes de índole jurídico complicaban las cosas: por el artículo 118 del Tratado de Versailles Alemania renunciaba a todo reclamo de soberanía territorial sobre la Antártida. Textualmente el documento sentenciaba que "fuera de los límites de Europa, tales como quedan fijados en el presente Tratado, Alemania renuncia a todos sus derechos, títulos o privilegios relativos a los territorios que hayan pertenecido a ella o a sus aliadas, y a todos los títulos, derechos y privilegios, cualesquiera sea su origen, que sostuvo contra las potencias aliadas y asociadas. Alemania se compromete a reconocer inmediatamente y a conformarse con las medidas adoptadas ahora o en lo sucesivo por las Potencias Principales Aliadas y Asociadas, de acuerdo, cuando sea necesario, con terceras potencias, con el objetivo de llevar a efecto la anterior estipulación". En el artículo siguiente el tratado establecía que "Alemania renuncia a todos sus derechos y títulos sobre sus posesiones de Ultramar a favor de las principales Potencias aliadas y asociadas".

Violar una vez más el tratado no preocupaba a la cúpula del nazismo. De todos modos, si el Reich pretendía anexar una porción del continente antártico debía fundamentar tal anexión en actos de soberanía concretos, izando por caso la bandera nazi en distintos puntos del territorio o, más efectivo aún, instalando estaciones permanentes. Si no lograba el reconocimiento internacional resultaría difícil sostener esas eventuales bases que podrían ser desalojadas por otra potencia que reclamara las mismas tierras, además de los consecuentes conflictos internacionales, que los nazis todavía buscaban evitar. El proyecto nazi de anexión antártico conformaba un triángulo con bases en los sectores meridionales de los océanos Índico, Atlántico y Pacífico, con centro en el Polo Sur. En caso de que alguna de las bases fuera atacada o necesitara suministros, cualquiera de las dos restantes, a similar distancia, le brindaría apoyo. A través de vuelos transpolares evitarían, sin aumentar demasiado la distancia a recorrer, traspasar territorios pertenecientes a otras naciones y los vuelos costeros, fácilmente detectables.

Con todas las variables analizadas y aparentemente resueltas se puso en marcha el ambicioso plan antártico que permitiría a Alemania el control del Atlántico Sur.

Dardos para la conquista

El 26 de julio de 1938 los primeros rayos de sol caían sobre la cumbre del Siebertal en la cara Este de los montes Harz. En el valle, a lo largo del sendero se desplazaban las marrones vacas del lugar con la melodía de las campanas en sus cuellos, frente a la pensión en la que Alfred Ritscher llevaba catorce días hospedado, según él, huyendo de la ciudad. Mientras desayunaba con los turistas de la pensión escuchó el sonido del teléfono y se sorprendió cuando le avisaron que la llamada era para él. Sólo le anunciaban que debía retirar una carta: el sobre marrón, el aspecto burocrático del envío, o quién sabe por qué razón, Ritscher supo al instante que se trataba de algo importante. No se equivocaba. La remitía el almirante Conrad, quien le ofrecía nada menos que el comando de una expedición a la Antártida. Debían zarpar con urgencia por lo cual, si aceptaba, lo esperaban en Berlín antes del 1° de agosto. Alfred Ritscher recordó entonces su terrible experiencia durante la expedición al Ártico en el invierno de 1912 como comandante del barco de la expedición Schröder-Stranz. Recordó el viaje a la

Isla de Spitzbergen, el temporal en la noche polar. Estuvieron al borde del colapso, pero su pericia logró salvar la expedición. Al parecer no habían olvidado su proeza y ahora lo recompensaban aunque ya había cumplido 59 años. Aunque quizás su experiencia como piloto durante la Primera Guerra Mundial también hubiera influido en la decisión, pues el organizador de la nueva expedición no era otro que el mariscal del Reich, Hermann Göring, su camarada de armas durante la Gran Guerra.[25] En menos de dos horas Ritscher envió su respuesta: "Obviamente dispuesto, 1° de agosto en posición". Seis días después se reunía en Berlín con varios ministros para organizar y preparar los detalles de la expedición.

Göring sabía que una flota ballenera propia no aseguraba el suficiente suministro de aceite. Alemania necesitaba por lo tanto una base territorial desde la cual llevar a cabo la caza de ballenas y como base militar para intentar el control del Atlántico Sur, contrarrestando el poder británico en las Islas Malvinas y en Ciudad del Cabo. Sabía que la región más adecuada para ese propósito, seguramente la única, era aquella que aún no pertenecía a ningún país, es decir, la Antártida. Ése sería el propósito de la expedición: explorar y luego reclamar para el Reich una porción de continente austral.[26]

---

25 Alfred Ritscher nació el 23 de mayo de 1879 en Bad Lauterberg, Niedersachsen. A temprana edad ingresó a la Armada del Kaiser. Falleció en 1963.

26 Alfred Ritscher, *Deutsche Antarktische Expedition 1938/39*, Leipzig, Koehler & Amelang, 1942.

Las investigaciones científicas anunciadas no eran más que un disfraz ante la comunidad internacional. El objetivo excluyente era dejar mojones y realizar trabajos de fotogrametría aérea para determinar puntos propicios para instalar bases, tanto en la costa como en el interior del continente, fundamento para una posterior demanda territorial una vez que se instalara en el lugar elegido un fuerte contingente nazi. Los estudios meteorológicos proyectados en esas bases permitirían brindar información sobre las condiciones climáticas en los pasos interoceánicos australes en provecho de los buques alemanes que navegaran por la región. Si el plan prosperaba, las naves del Reich podrían prescindir de los canales de Suez y Panamá, bajo control de sus enemigos.[27] La ocupación y el reclamo de un sector de la Antártida significaba una abierta violación del Tratado de Versailles, cuestión que poco preocupaba ya a los jerarcas nazis. De hecho el régimen nacionalsocialista había violado tantas cláusulas del tratado que no tendría reparos en hacerlo una vez más frente a las ventajas estratégicas y económicas que le otorgaría el control de una porción del continente antártico.

La importancia de la expedición puede traducirse en la rapidez con que fue planeada y en el dinero invertido. Demoraron sólo unos meses en terminar los preparativos,

---

27 Jorge Berguño Barnes, "Historia intelectual del Tratado Antártico", en *Boletín Antártico Chileno*, vol. 19, n° 1, Santiago de Chile, 1986.

cuando entonces llevar a cabo una expedición de ese tipo requería hasta dos años, según declaraciones del ministro Helmuth Wohlthat, encargado del plan cuatrienal y de las cuestiones financieras de la expedición, de la cual era uno de sus mentores.[28] La expedición permitiría "reclamar la soberanía de una porción correspondiente a Alemania con respecto a la repartición del continente por las potencias, para asegurarse así las condiciones para el inalienable derecho del Reich del tranquilo desempeño de sus ochenta millones de hombres con la vital captura de ballenas".

La discusión sobre la necesidad de un reclamo territorial en la Antártida se había abierto en noviembre de 1936, cuando representantes de distintos ministerios analizaron si debía realizarse simultáneamente a la construcción de la flota ballenera. Sin embargo, el proyecto comenzó a concretarse en mayo de 1938, cuando Göring presentó el plan para la expedición. Ese mismo mes se encontraba en Groenlandia una expedición alemana financiada por la fundación *Reichsjägerhof*,[29] controlada

---

28 En esos años Wohlthat intentaría negociar la vida de prisioneros judíos de campos de concentración por dinero de empresarios norteamericanos.

29 La sociedad *Reichjägerhof* tenía su centro en Braunschweig, lugar que el nacionalsocialismo había elegido para levantar una gigantesca ciudad de cabañas modelo para obreros, proyecto que resultaría un fiasco y que lindaba con Salzgitter, donde estaban las fábricas de la Hermann Göring Werke. Si bien era ministro de Economía del Reich, Göring poseía el gran complejo industrial

por el mariscal del Reich, quien al parecer tenía cierta afición por organizar excursiones polares. La experiencia de esta misión, que a primera vista no presentaba apariencia ni fines militares, serviría para instalar bases en Groenlandia durante la guerra, región donde llegaron a producirse combates entre tropas estadounidenses y alemanas.

Antes de la convocatoria de Ritscher, entre junio y julio habían tenido lugar varias reuniones gubernamentales que incluyeron a representantes de la aerolínea alemana Lufthansa. Esa presencia se explica por iniciativa del ministro Wohlthat, quien propuso que se emplearan nuevos métodos de exploración aérea, especialmente

---

Hermann Göring Werke que utilizaba prisioneros de campos de concentración como mano de obra esclava, más precisamente del campo de Matthausen. Había sido además el encargado del desarrollo e instalación del primer campo de concentración. El capital inicial para sus industrias fue aportado por el Dresden Bank, que se transformaría en la casa bancaria de la empresa de Göring a medida que absorbió industrias en los países ocupados, aumentando hasta ocho veces el número de sus filiales en el extranjero como en el caso de Skoda, en Checoslovaquia, que sería utilizada con fines bélicos para fabricar la versión militar del escarabajo y el pesado transporte RSO. El poder económico de Göring crecería aún más al desplazar al ministro de Agricultura argentino Ricardo Walter Darré, con lo cual obtuvo también el control de la agricultura. Por otra parte, a través del Dresden Bank las SS se apropiaron de los bienes de los prisioneros de los campos de concentración. Además desempeñó un rol central en la financiación de la propaganda nazi en la Argentina durante la preguerra.

para el reconocimiento del interior del continente en lugar de los complicados trineos tirados por perros. Lufthansa había adquirido mucha experiencia en vuelos marítimos en los últimos doce años, por lo que su opinión técnica sería de gran ayuda para la organización de la expedición, así como el punto de vista económico y financiero de sus hombres de negocios. Se decidió finalmente que enviarían al continente blanco un barco catapulta de la empresa alemana Norddeutscher Lloyd utilizado por Lufthansa, el *Westfalen,* y dos hidroaviones de la misma empresa que operarían desde el barco, anclado frente a la Isla de Fernando Noronha como plataforma de despegue y punto de reaprovisionamiento entre Brasil y Europa.

A partir del 1 de agosto, tras el arribo de Ritscher, continuaron en Berlín las reuniones de planeamiento entre el Estado Mayor de la Armada, el Ministerio de Asuntos Exteriores, el de Vuelos Aéreos del Reich, el de Economía, Lufthansa y el Ministerio de Alimentación y Agricultura.[30] Se trataba de un momento políticamente agitado ya que los nazis habían anexado los Sudetes, por lo que Ritscher se quejó de que la "reunificación" estorbaba los preparativos. A finales de agosto se produjo otro contratiempo: informaron desde Río de Janeiro que el *Westfalen* debía permanecer largo tiempo en reparaciones. El barco, construido en 1905, no estaba a la altura

---

30 Este último Ministerio estaba dirigido por Ricardo Walter Darré.

del desafío, de manera que a instancias del director de Lufthansa, Freiherr Gablenz, fue reemplazado por el barco catapulta *Schwabenland*, comandado por el capitán Alfred Kottas.

El *Schwabenland* había sido construido en Kiel por la Deutschen Werke AG en 1925. Su primer nombre fue *Schwarzenfels* y se lo destinó a la India, donde prestaba servicios para la empresa *Hansa* de Bremen. Lufthansa lo compró en 1934 como su segundo barco catapulta. Era mejor que el *Westfalen* ya que la catapulta se erigía en la popa en vez del emplazamiento de su antecesor, en la proa. El *Schwabenland* tenía 142,4 metros de eslora y un porte de 8.188 toneladas. Podía desarrollar hasta 18 nudos y tenía capacidad para transportar tres hidroaviones.[31] Su catapulta de despegue –un sistema de pistón empujado por aire comprimido– permitía al avión una velocidad de 150 km/h en un segundo y medio. Al regreso los aviones se detenían en una malla que se desplegaba en la popa del barco, desde donde una grúa los izaba.[32] El despegue con catapulta permitía un importante ahorro de combustible, que incrementaba consecuentemente la autonomía del

---

31 Presentaba 18,3 metros de manga, 10,6 metros de puntal y 7,4 metros de calado medio. Lo propulsaban dos motores diesel de 1.800 hp.

32 La catapulta era un modelo K7 de la empresa Ernst Heinkel, con un peso de 93 toneladas, 41,5 metros de largo, 2,2 de ancho y 0,50 de alto. Desde ellas podían despegar aviones de hasta 1,4 toneladas. La malla de frenado tenía 5,75 metros de largo.

avión, pero también presentaba ventajas a la hora de realizar despegues con mar agitado.

En los meses previos a la partida de la expedición el *Schwabenland* fue acondicionado para las condiciones polares. Todo el casco, especialmente la proa, fue reforzado con planchas de hierro de hasta 25 milímetros para soportar el choque con el hielo. En su interior se construyó un laboratorio especial para procesar la información científica recogida. De hecho los preparativos de la expedición fueron encomendados a la Comunidad de Investigación Alemana –la *Deutsche Forschungsgemeinschaft*– intentando disimular así su carácter expansionista, lo cual resultaba difícil pues su comandante pertenecía a la marina de guerra, la *Kriegsmarine*. El suministro de armas, municiones y vestimentas polares estaría a cargo del economista Fritz Todt, director de la esclavista Organización Todt.

Lufthansa aportó los dos aviones Dornier 10 T Wal de la expedición, hidroaviones que volaban desde 1933 entre la costa oeste del norte de África y América del Sur.[33] Uno llevaba la identificación D-AGAT y se denominaba *Boreas*, y el restante, D-ALOX, se llamaba *Passat*.[34] En cierta forma esos aviones eran considerados casi barcos por

[33] Están equipados con dos motores en tándem BMW VI U, cada uno de 630 hp. Pesan 10.500 kilos y pueden transportar media tonelada de carga.

[34] El *Boreas* llevaba el récord de 91 vuelos intercontinentales, mientras el *Passat* había realizado sólo 63. En diciembre de 1936, luego de un día de espera, había sido rescatado a 400 kilómetros de amerizaje de emergencia.

su tripulación, de manera que estaban equipados con elementos especiales para vuelos sobre el mar, entre los que se encontraba un bote de goma para cuatro personas con remos, un ancla con cuerda, un hacha y un lanzador de cuerda, además de caja de herramientas y bengalas. Para las tareas de mapeo se los equipó con cuatro cámaras de fotogrametría aérea. El encargado de la tarea fue el fotógrafo Max Bundermann de Hansa Luftbild GmbH, quien formó parte de la expedición junto a su colega Siegfried Sauter, que aún vive y reside en Alemania. Cada cámara disponía de 60 rollos, cada uno de 60 metros, una capacidad aproximada de 15.000 fotografías. Estaban montadas en la trompa y en la cola del avión, a suficiente distancia para lograr el efecto estereoscópico, pero dentro del fuselaje, de manera que visto desde el exterior el avión seguía presentando la apariencia de un simple vehículo de transporte. Tenían una inclinación de 20° sobre el horizonte y podían fotografiar una superficie de hasta 100 kilómetros cuadrados a una altura de 3.000 metros –o 50 kilómetros a 2.000 metros–. El equipo completo de fotografía pesaba alrededor de 200 kilos.[35] Bajo el avión quedaban aproximadamente 6 kilómetros sin fotografiar que eran relevados en el vuelo de regreso, a 30 kilómetros de la ruta de ida.[36] Los aviones llevaban además

[35] Las cámaras eran *Zeissaerotopograph*, modelo RMK C/5. Tomaban fotografías en formato 18 x 18 centímetros. También se utilizaron dos cámaras de mano de 7 x 9 centímetros y una cámara especial para fotografiar la costa de 13 x 18.
[36] El plan original era volar hasta los 78° Sur.

cámaras filmadoras –Siemens D 16, de 16 milímetros– en blanco y negro y color, que lograron películas de excelente definición usadas con fines propagandísticos.[37]

A comienzos de octubre de 1938 Lufthansa convocó a las tripulaciones de los dos aviones para los preparativos de la expedición: los pilotos Rudolf Mayr y Richardheinrich Schirmacher, sus mecánicos Franz Preuschoff y Kurt Loefener, y los operadores de radio Franz Ruhnke y Erich Gruber, todos pertenecientes a Lufthansa. A pesar de que la guerra aún no había comenzado, algunos de ellos eran veteranos de otras guerras, como Preuschoff, que había combatido en el Conflicto Amazónico. Los aviones permitían llevar a un cuarto tripulante, lugar que sería ocupado por los fotógrafos de la expedición, y en cierta ocasión por el propio Ritscher. El único que tenía experiencia en vuelos polares era el capitán Mayr, que en mayo 1937 había formado parte de la expedición de Lauge-Koch, realizando un vuelo sin escalas desde el noreste de Groenlandia hasta la tierra de Peary, para regresar luego a Spitzbergen.[38]

---

37 Se encuentran en el Archivo Federal Alemán y expresan los reclamos políticos alemanes sobre la Antártida.

38 Esa expedición fue dirigida por el profesor Herdemerten, miembro del Instituto Alfred Wegener. También participó el meteorólogo Hans Robert Knöspel, quien moriría durante la guerra al detonar una mina mientras instalaba una estación meteorológica automática en la isla de Spitsbergen. Los conocimientos adquiridos por estas expediciones y los hombres que formaron parte de ellas serían utilizados durante la guerra para ocupar estaciones meteorológicas árticas, muy importantes en la batalla del Atlántico.

Lufthansa se ocupó de investigar una mezcla de combustible de aviación que soportaba temperaturas de hasta de 50° centígrados bajo cero. Cada avión transportaba 4.200 litros, es decir una autonomía de alrededor de 15 horas de vuelo, o bien 2.600 kilómetros, aproximadamente, a una velocidad promedio de 160 km/h. Por otro lado el barco transportaba 90.000 litros de combustible, suficiente para 300 horas de vuelo o 52.000 kilómetros. Como precaución se amplió el equipo de aterrizaje de emergencia a 300 kilos incluyendo trineo, carpas y armas de fuego. Las calorías de las raciones fueron calculadas según información proporcionada por el almirante Byrd. El *Schwabenland* cargaba alimentos para un mes y diversos suministros empaquetados en 60 bolsas con paracaídas, que en caso de estrellarse un avión serían lanzados a las víctimas del accidente por el restante.[39]

39 El equipamiento para aterrizajes de emergencia sumaba alrededor de 300 kilos. Estaba compuesto por dos carpas para dos personas, cuatro bolsas de dormir con colchones de goma, un trineo de base plana con 20 metros de cuerda y dos arneses para arrastrarlo, cuatro pares de esquíes, una piqueta, dos calentadores Primus con repuestos, dos cacerolas, 10 litros de combustible, un fusil con mira y cien cartuchos, dos cajas de bengalas, una estación portátil de onda corta, un botiquín, un litro de alcohol de quemar, cuatro mochilas y 100 kilos de provisiones en bolsas. También habían almacenado 60 litros de agua potable en el avión, además de ropa especial para el frío y una ración de emergencia para cuatro semanas. La ración diaria para dos hombres consistía en 255 gramos de Pemmikan –carne rebanada, secada al sol o al fuego, machacada

El sistema de radio del *Dornier Wal* estaba compuesto por un transmisor, un transmisor-receptor de onda corta y un sistema de radio para rumbo de vuelo. Convencionalmente estos aviones llevaban un equipo de radio portátil para emergencias, que fue excluido porque su longitud de onda no era adecuada para su uso en la Antártida. También se realizaron modificaciones a la estructura del avión: reforzaron el piso al tiempo que le colocaron patines para anevizajes en el continente, además de un sistema de freno para hielo. Un pequeño orificio en la parte inferior de la cola del avión servía para lanzar dardos demarcadores. Cada vuelo transportaba 50 dardos metálicos y 10 banderas nazis, 36 kilos en total.[40]

La idea de los dardos marcadores surgió como alternativa al objetivo prioritario de la misión, esto era, establecer una base para fundamentar un futuro reclamo de

---

y mezclada con grasa– 250 gramos de pan negro, 115 de azúcar, 56 de harina de avena, 50 gramos de chocolate, 50 de mermelada de frutilla, 40 gramos de tocino, 15 de té, 25 de manteca, 20 de leche en polvo, 15 de cacao, 20 gramos de condimentos y 12 cigarrillos.

40 La idea de las banderas lanzadas desde aviones no era nueva. El ingeniero italiano fascista Humberto Nobile había dejado caer una desde su hidroavión *Norge* sobre el Polo Norte en 1926. Tampoco la utilización de aviones para la exploración antártica. Databa de noviembre de 1928, cuando el explorador australiano Hubert Wilkins realizó el primer vuelo sobre el continente. Un año después el norteamericano Richard Byrd realizaría nuevos vuelos y una década más tarde su compatriota Ellswoth cumpliría su sueño tras lograr el primer vuelo transantártico.

soberanía. Se planteaba la necesidad de izar banderas alemanas en la zona elegida, pero las dificultades que acarreaba trasladar a miembros de la expedición a emplazamientos distantes para llevar a cabo esa tarea fueron reemplazadas por el lanzamiento de dardos especiales que, arrojados desde los aviones, se clavarían en la nieve. Debían circunscribir un área de 20 a 30 kilómetros de lado. La expedición encargó su fabricación a la empresa Dornier-Metallbauten, en Freidriechshafen. Medían 1,50 metros y estaban hechos en aluminio, excepto su punta afilada de acero y de 30 centímetros de largo. En la parte trasera llevaban estabilizadores, uno de los cuales lucía una esvástica como señal de soberanía. Modelos de diversas formas, peso y color habían sido probados en diferentes aeropuertos, particularmente en Travemünde, zona de pruebas de la *Luftwaffe*. En noviembre de 1938 lanzaron el modelo elegido sobre el glaciar de Pasterzen, un terreno similar al de la Antártida. Durante esos ensayos se demostró que arrojados desde 500 metros de altura los dardos penetraban 35 centímetros en el hielo, si bien era cierto también que en ocasiones no se clavaban o se deformaban.

Desde el punto de vista científico la expedición llevaría a cabo investigaciones climáticas por medio de radiosondas, relevamiento del relieve submarino, estudios sobre la temperatura del océano, composición del hielo, medición de las radiaciones solares y del campo magnético terrestre, estudios sobre ballenas, focas, plancton y corrección de cartas náuticas, además de producción de imágenes de la costa para libros de navegación, que serían utilizados durante el conflicto. El personal científico de la expedición estaba compuesto por un biólogo, un geógrafo, un geofísico, un oceanógrafo y cuatro meteorólogos.[41] En total la expedición contaba 80 personas incluidos los tripulantes de los aviones.

A mediados de noviembre arribó a Hamburgo el famoso explorador norteamericano Richard Byrd, invitado especialmente por la Sociedad de Exploración Polar Alemana para que presenciara los preparativos de la expedición. Los consejos y la experiencia del norteamericano fueron valiosos para Ritscher, quien a principios de noviembre reunió a la tripulación en el *Urania*, barco surto en Hamburgo, donde proyectaron la filmación de una de las expediciones de Byrd. Luego de regresar a los Estados Unidos Byrd fue ascendido a almirante de la US Navy y puesto a cargo del recién creado Instituto Polar norteamericano. Menos de un año después Ritscher se lamentaría por haber invitado a su colega norteamericano a presenciar los preparativos de la expedición.

41 En 1937 y 1938 los alemanes realizaron dos expediciones a la Isla de Spitsbergen. Entre sus miembros estaba el futuro geofísico de la expedición del *Schwabenland*, Leo Gburek. En la expedición del verano de 1938 el geógrafo que luego viajaría a la Antártida a bordo del *Schwabenland*, el doctor Ernst Herrmann, probaba nuevos métodos de aterrizaje sobre hielo. Los miembros de esa expedición instalaron una base y escalaron nueve montañas de cierta dificultad, además de confeccionar un mapa de la zona por medio de fotogrametría terrestre. También instalaron estaciones magnéticas a través de barcos, trineos y botes, y estaciones meteorológicas a una altura de 600 metros.

El 15 de diciembre se daban por finalizados los trabajos en el *Schwabenland* y llegaban los invitados para el vuelo de prueba. En la sala principal del barco, el ministro Wohlthat pronunció un discurso, en nombre del Reich, sobre la importancia de la misión que debían cumplir. Dos días después los aviones y su combustible ya estaban a bordo del barco, y el vicealmirante Wolf, en representación del Estado Mayor de la Marina de Guerra, llegaba al barco para la despedida y para desear éxito a Ritscher y a su expedición "científica". De esta forma zarpaba la misión que provocaría tantas desavenencias sobre el continente antártico.

El 24 de diciembre, luego de nueve días de navegación, los alemanes pasaban las Canarias y festejaban la Navidad a la manera germana, con mucha cerveza y música, pero sin olvidar la parafernalia nazi, por lo que el cuarto de reuniones acondicionado para el festejo ostentaba banderas con esvásticas en sus cuatro paredes, además de la bandera de la expedición que mostraba una esvástica sobre la porción de la Antártida que iban a explorar. La fiesta de Año Nuevo acontecería junto a la fiesta de Neptuno, celebración que los marinos, disfrazados grotescamente, realizan cada vez que cruzan el Ecuador y en la que los novatos suelen pasarla bastante mal en manos de los más experimentados. Pero la alegría tuvo que ceder paso a la preocupación cuando Alfred Kottas, capitán del barco, informó a Ritscher que por desperfectos en un motor debían aminorar la velocidad, contratiempo que provocó un retraso que, analizado en perspectiva, gravitaría en el ámbito del derecho internacional.

Tras veinte días de navegación, el *Schwabenland* llegó a la Isla Tristan Da Cunha, donde Ritscher se enteró de la presencia de un ballenero nodriza alemán, el *Wikinger*, que reabastecía de combustible a sus arponeros en las cercanías de la isla. Estos balleneros eran precisamente los que se beneficiarían de la expedición, una vez adquiridos los territorios antárticos. Días después Ritscher logró comunicarse con el ballenero y concertar un lugar de reunión para que el capitán Kirchei le suministrara repuestos para la radio, que estaba funcionando defectuosamente. El 14 de enero alcanzaron a divisar la isla noruega Gough que extrañamente se encontraba libre de nubes, fenómeno verdaderamente inusual pues la isla permanece todo el año tapada por niebla, lo que dificulta su avistamiento. El barco se acercó a 5 kilómetros de la costa para fotografiarla en detalle, pero, al fallar el sistema eléctrico, el *Schwabenland* quedó fuera de control, dirigiéndose peligrosamente hacia la costa acantilada de la isla. La situación fue superada a último momento cuando funcionó el dínamo de reserva.[42] Mientras tanto, ese mismo día sucedían en Europa acontecimientos que darían un giro al carácter de la expedición.

Los nazis no habían sido muy cautelosos. Lejos de mantenerla en secreto habían anunciado la expedición en los periódicos, sin contar la invitación a Byrd. El 14

---

42 Durante la guerra, el Estado Mayor alemán planeó incluso instalar un campo de prisioneros en la Isla Gough, un enclave estratégico del Atlántico Sur.

de enero, sólo seis días antes de que el *Schwabenland* llegara a destino, Haakon, rey de Noruega, emitió el siguiente comunicado:

"Yo, Haakon, rey de Noruega, proclamo:
Que la costa del continente antártico que se extiende desde los límites de las dependencias de las Islas Falkland al Oeste (límite de la tierra de Coats) hasta los límites de la dependencia antártica australiana al Este (45° longitud Este), con la tierra que se extiende dentro de la costa y el mar circundante, sea sometido bajo soberanía noruega.
Realizado en el Palacio de Oslo el 14 de enero de 1939.
Bajo nuestra mano y sello del reino."

Esta proclama, conocida como Declaración de Hakoon, ponía bajo soberanía noruega el territorio donde pocos días después desembarcarían los nazis.[43] Evidentemente el gobierno noruego estaba al tanto de los pormenores de la expedición alemana, sobre todo de sus reales objetivos. Los documentos noruegos de entonces afirman que obtuvieron la información a través de medios periodísticos y que los alemanes no habían realizado reclamo territorial alguno. La particularidad de la proclama reside en que reclama únicamente las costas antárticas, precisamente el área a explorar por Ritscher.

---

43 "The Norwegian Claim in the Atlantic Sector of the Antartic", en *Polar Record*, vol. 3, n° 18.

Resulta por lo tanto indudable que la preocupación por la expedición antártica y las noticias de una posible reivindicación alemana fueron la causa de la Declaración.[44]

Un informe del Ministerio de Asuntos Extranjeros noruego del 14 de enero de 1939 recomendaba "...que su majestad tenga a bien aceptar y suscribir el borrador de una Orden de Consejo a efectos de que tal parte de la costa del continente antártico que se extiende desde los límites de las Dependencias de las Islas Falkland al Oeste (el límite de la tierra de Coats) a los límites de la Dependencia antártica australiana en el Este (45° Long. E), con el territorio que se extiende dentro de sus costas y los mares adyacentes, sean sometidos a soberanía noruega, y que el Ministro de Justicia esté facultado para establecer las regulaciones para el ejercicio de la autoridad policial dentro de la región."

El documento contiene una breve descripción de las expediciones y reclamos que habían otorgado a Noruega soberanía sobre las islas antárticas Bouvet y Peter I en enero de 1928 y mayo de 1931 respectivamente. Luego resume los reclamos territoriales franceses, británicos, australianos, destacando que no se había realizado ninguno en la región comprendida entre los últimos dos territorios, comúnmente llamada Sector Antártico. Para justificar el reclamo de la zona en cuestión, el informe repasa las distintas exploraciones realizadas hasta la fecha, comenzando por una expedición rusa de 1820 y

44 A. Brekke, *Norway in the Antarctic*, Oslo, Norwegian Polar Institute, 1993.

dos inglesas en 1831 y 1843. Ninguna de las tres había logrado avistar tierra ni desembarcar en el continente, pero en 1929 el ballenero noruego *Lars Christiansen* comandado por el capitán Riiser-Larsen, acompañado por el capitán Lutzow-Holm, había realizado trabajos de exploración desde el aire, mientras que en una segunda expedición comandada por el capitán Lars Christensen había sobrevolado la región. En el verano de 1936-1937 el mismo capitán despachó otra expedición que logró nuevos vuelos de mapeo. La zona explorada comprendía el territorio entre la Tierra Dronning Maud y la Tierra Princesse Ragnhild, región que se denominó Tierra Prins Haral.

Noruega, en clara concordancia con la perspectiva británica frente a los intereses alemanes, había asegurado a sus aliados que no realizaría "ningún reclamo respecto de la tierra dentro de la región que haya sido sometida luego al dominio británico", sin embargo también afirmaba la importancia de someter a soberanía noruega las islas Bouvet y Peter I para "proporcionar a la industria ballenera noruega de esta región puntos de apoyo y salvaguarda contra una posible usurpación por parte de poderes extranjeros." Sobre el reclamo del territorio continental aseguraba que "en los últimos años esta área fue de capital importancia para la caza de ballenas noruega. Esta pesca continúa ahora en los mares altos, pero cuando el verano avanza las capturas se realizan cada vez más cerca de la costa. La costa del continente en estas partes corre aproximadamente a lo largo de 70° de Lat. Y en el principio del verano [en diciembre] el borde de hielo se encuentra habitualmente a los 60°. Hasta febrero los buques factoría no calan cerca de la costa."

Preocupaba claramente a los noruegos la posible ocupación nazi del territorio en cuestión, pero en un segundo término se encontraba el hecho de que las flotas balleneras noruegas habían pagado a los británicos, por años, derechos y licencias para poder cazar en aguas antárticas pues no era clara la delimitación de las aguas territoriales. El documento continúa diciendo que "dado que las cuestiones de límites territoriales permanecen sin decisión, es deseable para la industria ballenera noruega en estos mares que Noruega tenga dominio sobre un amplio sector del continente con sus aguas adyacentes. Noruega por su parte no reclamará ningún derecho para excluir a otras naciones de las aguas sobre las cuales debería tener posesión o impedirles realizar operaciones balleneras allí. Pero los balleneros noruegos deben estar asegurados frente a la posibilidad de que otras naciones los excluyan de estas aguas o realicen acciones que puedan implicar a su industria daño o pérdida."

Como era previsible, sobre todo en ese contexto, británicos y australianos reconocieron rápidamente los reclamos noruegos. Ese entendimiento entre británicos y noruegos constituyó un importante eslabón en la progresión de los reclamos antárticos del Reino Unido, continuación de la estrategia aprobada por la Conferencia Imperial en 1926.

Tras la Declaración de Haakon la partición de la Antártida parecía desarrollarse en forma amistosa, pero la expedición nazi provocaría el endurecimiento de la posición soviética, que informó el 27 de enero de 1939 su oposición a la anexión por parte de otros países de todas las tierras que sus navegantes hubiesen podido adquirir por descubrimiento. Esta declaración significaba un retroceso respecto del estado de la cuestión. El año anterior las autoridades soviéticas habían notificado a Gran Bretaña que solicitarían autorización de Su Majestad en caso de enviar una expedición al sector antártico reclamado por los británicos. La Guerra Fría parecía comenzar antes de tiempo en el continente blanco, ya que los Estados Unidos transformaron su objeción pasiva en oposición activa en cuanto a reclamos territoriales no-americanos en la Antártida, al tiempo que extendían la aplicación de la Doctrina Monroe al continente austral. Esas acciones intentaron sustentarse en la búsqueda de cooperación de la Argentina y Chile frente a la usurpación nazi.

La Declaración de Haakon producía un cambio radical en la naturaleza del viaje del *Schwabenland*: ya no se trataba de reclamar una región sin soberanía, sino de que los alemanes estaban internando un barco, con personal militar, en un territorio que ya había sido reconocido por otras naciones como perteneciente a Noruega. Pasaba de ser una expedición de conquista sobre tierra de nadie, a una invasión de territorio extranjero. A pesar de las declaraciones del rey noruego, el nazismo estaba resuelto a obtener una porción del territorio antártico desoyendo lo que las leyes internacionales afirmaban, y sin tener en cuenta que el territorio al que se dirigían pertenecía, por justos antecedentes, a otro país. Por lo tanto, la expedición fue llevada a cabo tal y como se la había planeado, fotografiando desde el cielo y plagando de banderas nazis la Antártida noruega.

Byrd gana la partida

Luego de observar minuciosamente los preparativos del *Schwabenland*, el gran explorador polar norteamericano Richard Byrd regresó a los Estados Unidos. Como era previsible, su gobierno ya estaba al tanto de las operaciones y planes nazis para la Antártida. Preocupaba que el Tercer Reich tomara posesión de un sector del continente pues, en caso de guerra, bloqueados el canal de Panamá y el de Suez, la importancia estratégica de los mares del sur aumentaría por las posibilidades operacionales que ofrecían a submarinos y buques alemanes, otorgándoles acceso al Pacífico para unirse y colaborar con la marina japonesa, principal temor de Washington. Además, eventuales bases antárticas podrían utilizarse para brindar información meteorológica de navegación, cuestión crucial como lo demostrarían los hechos acontecidos en las costas de Groenlandia y en el resto del Ártico conocidos como Guerra Meteorológica.

Si bien el almirante Byrd había realizado una expedición a la Antártida en 1928, y paralelamente a la de Ritscher se desarrollaba la del norteamericano Lincoln Ellsworth, esas travesías no contaron con apoyo oficial del gobierno norteamericano, situación que se revertiría plenamente luego de que el peligro alemán se materializara en el viaje del *Schwabenland*. Una de las primeras medidas de la Casa Blanca fue la creación en 1939 del Servicio Antártico. Su primer responsable fue Byrd, quien a fines de ese año realizó su segunda expedición a la Antártida con total apoyo del gobierno, es decir, la primera expedición oficial de ese país desde el viaje de Wilkes en 1838.[45] Naturalmente, la región elegida para inspeccionar y reclamar no fue otra que la misma que los alemanes pensaban decorar con dardos y banderas nazis ese mismo verano.

A imitación de la expedición alemana, el 29 de noviembre, a dos meses de estallar la Segunda Guerra, el presidente Roosevelt le sugería a Byrd que "los miembros del Servicio Antártico de los Estados Unidos pueden seguir procedimientos tales como arrojar reclamos de soberanía escritos desde aviones, depositar reclamos de soberanía en estuches, etc., los cuales pueden apoyar los reclamos de soberanía de los Estados Unidos. Estos registros serán cuidadosamente guardados. Sobre estos actos no se harán anuncios públicos; sin embargo serán realizados".[46]

Su principal objetivo consistía en generar las condiciones para una ocupación permanente y así "consolidar y extender la soberanía de los Estados Unidos sobre un área lo más extensa posible en el continente antártico", para lo cual Byrd exploró la Isla Stonington, la barrera de hielos Ross, la Bahía Whales y los alrededores

---

45 *Polar Record*, vol. 3, n° 18, julio de 1939.
46 Henry Kissinger, *La diplomacia*, México, FCE, 1996.

de la base Little America III, regiones que consideraba aptas para la instalación de bases aéreas. Esta base sería instalada a sólo 10 kilómetros de la que Byrd había levantado en 1928, mientras que emplazó una segunda en Bahía Margarita y una tercera en las cercanías.

La misión contaba con 125 hombres y cuatro aviones: un hidroavión monoplano bimotor Barkley Grow T8P-1 para reconocimiento de hielos, dos biplanos bimotores Curtiss Wright Condor y un biplano monomotor Beechcraft D-17A.[47] Con apoyo de los barcos *Bear of Oakland* y *North Star* se realizaron continuos vuelos y viajes en trineos que mantenían contacto radial con las bases. También utilizaron para los desplazamientos un vehículo de considerables proporciones, con enormes ruedas y resistencia suficiente para trasportar un avión.

Dada la distancia que separaba el continente antártico de sus costas, y la cercanía de la Argentina y Chile, los norteamericanos necesitarían, tal vez, la colaboración de esos países, por lo cual esgrimieron una vez más la Doctrina Monroe para extender su aplicación no solamente al continente americano sino también a la

---

47 Byrd no tendría la suerte que Ritscher con sus aeronaves. A uno de los Curtiss se le incendió el motor mientras abastecía a un grupo de campo, al tiempo que el otro Curtiss fue abandonado en Isla Mikkelsen al evacuar al personal de la Isla Stonnington el 22 de marzo de 1941. Véase R.O. Palaz, *Alas sobre el sexto continente*, Buenos Aires, Dunken, 1999.

Antártida.[48] El papel determinante y tutelar que los Estados Unidos creían merecer en América se expandía al continente blanco.[49] Pero si bien dicha doctrina condenaba cualquier pretensión europea por colonizar América, jamás preocupó a los Estados Unidos la ocupación británica de las Islas Malvinas. Tampoco los posteriores atropellos ingleses ante los reclamos argentinos en el territorio antártico. La estrategia norteamericana para los reclamos de soberanía sobre las regiones polares consistía básicamente en negar valor al descubrimiento, con o sin formal toma de posesión, si no era seguido por una ocupación efectiva. Tal posición se relacionaba con la doctrina británica según la cual los descubrimientos sin ocupación no constituían base o fundamento suficiente para reclamos de soberanía territorial, principio que, sin embargo, no respetaron cuando usurparon las Islas Malvinas.

Mientras Byrd arrojaba miles de monedas norteamericanas y reclamos de soberanía sobre la Antártida, Ritscher tuvo que empaquetar sus dardos y sus banderas

---

48 Los planes norteamericanos no contemplaban la resistencia demostrada más tarde por los gobiernos de la Argentina y de Chile.

49 Y también al resto del mundo, como bien lo refleja un discurso del presidente Teodoro Roosevelt ante el Congreso, ya en 1902: "La creciente interdependencia y complejidad de la política internacional y de las relaciones económicas obligan a todas las potencias civilizadas y ordenadas a insistir en su propia vigilancia del mundo". Obviamente Roosevelt incluía a su país entre las potencias civilizadas y ordenadas.

para mejor ocasión: el viaje fue cancelado por el estallido de la Segunda Guerra Mundial. En cualquier caso, de haber zarpado, lo más probable es que ni el *Schwabenland* ni los otros barcos que conformaban la expedición hubieran logrado cruzar siquiera el Atlántico Norte sin ser detectados y hundidos por patrullas británicas.

Sin embargo, la rápida victoria que la *Blitzkrieg* había otorgado a los alemanes en Polonia alentaba en Ritscher falsas expectativas. Creía que la guerra finalizaría pronto, por lo cual, una vez canceladas las órdenes para la expedición de ese verano, comenzó a planificar una segunda para el siguiente período estival 1940-1941.

Con dificultades, debido a que gran parte de su personal había sido trasladado a diferentes frentes de combate, Ritscher seguía adelante con su proyecto. La nueva expedición navegaría hasta su Nueva Suabia para instalar definitivamente bases en el continente, pero también hasta la lejana Tierra del Kaiser Guillermo II, cuyas heladas costas son bañadas por las aguas del Océano Índico. Si la operación de enero de 1939 debía otorgar a los nazis una base en el Atlántico Sur, y la de diciembre del mismo año una segunda en el Pacífico, la de diciembre de 1940 instalaría una tercera en el Índico, conformando un triángulo estratégico alrededor del Polo Sur desde donde controlar el continente austral y los sectores meridionales de los océanos que lo rodean.

Según los planes de Ritscher se instalaría una base en el Oasis Schirmacher de Nueva Suabia y se demarcaría claramente el territorio para que quedara "terminantemente bajo soberanía de Alemania". Levantarían una segunda estación en la gran bahía de hielo al pie de las montañas de la Cordillera Wohlthat, lo que explica por qué los geógrafos concentraron sus esfuerzos en confeccionar detallados mapas de la zona basándose en las fotografías tomadas en la expedición anterior. Ambas estaciones tendrían depósitos de alimentos y medicinas suficientes para un año pues las dotaciones tendrían carácter permanente. Los materiales para los campamentos serían transportados en avión hasta una estación en la costa que contaría con una improvisada pista de aterrizaje. El barco líder de la expedición exploraría la costa de hielo y el barco de apoyo, con los aviones, se ocuparía de los vuelos de reconocimiento sobre la barrera de hielo. La expedición contemplaba además vuelos de exploración en la Tierra del Kaiser Guillermo II con dos hidroaviones Dornier Do-24, mientras un avión Storch, estacionado en tierra cerca de la costa, realizaría diversos aterrizajes en el interior del continente, reservando el viaje de regreso para nuevas visitas a las Islas Kerguelen y la Trinidad, al parecer con fines "científicos".

Ritscher se dedicó sin descanso a los preparativos de la expedición, pero esperó en vano el final de la guerra. Al contrario, el conflicto no paraba de extenderse. A fines de 1940 era evidente que la guerra duraría más que lo esperado, de modo tal que a principios de 1941 Ritscher decidió alistarse para combatir en el Canal de la Mancha, aunque nunca perdió las esperanzas de realizar una nueva expedición antártica.

Evidentemente, el gobierno tampoco estaba dispuesto a abandonar el proyecto expansionista en el continente blanco, pues el ministro Wohlthat cedió un sector de las instalaciones de la Comunidad Alemana de Investigación a la Oficina de Operaciones Antárticas, que debía reiniciar sus actividades australes una vez finalizada la guerra. Pero la puesta en marcha de la Operación Barbarroja en junio de 1941 –la invasión a la Unión Soviética– sepultó finalmente los sueños de Ritscher, ya que todo el esfuerzo de guerra se concentró en el Frente Oriental. El departamento destinado a las operaciones antárticas se ocupó desde enero de 1942 del diseño de la vestimenta invernal para las tropas que luchaban contra los soviéticos.

El 12 de octubre de 1939 el destino del *Schwabenland* quedó atado al de la guerra. La *Luftwaffe* lo utilizó desde entonces como barco catapulta artillado en el Frente Occidental, aunque luego fue enviado con urgencia a Noruega, con el resto de los barcos de su tipo, para combatir contra los convoyes aliados que transportaban refuerzos para los soviéticos. En 1942 el barco se encontraba en Francia, equipado con dos hidroaviones militares Bv-138 de gran alcance.[50] El 5 de agosto de 1942 el *Schwabenland* cruzaba el canal, desde Le Havre hacia Boulogne, escoltado por 24 barcos que lograron protegerlo de tres ataques

---

50 Los Blohm und Voss Bv 138C-1 tenían un alcance de 4.295 kilómetros, desarrollaban una velocidad de 285 km/h, llevaban cinco tripulantes y dos cañones de 20 milímetros y podían cargar 300 kilos de bombas.

británicos.[51] El *Schwabenland* tuvo suerte esa vez, pero la buena estrella no lo acompañaría mucho tiempo más. En septiembre lo trasladaron nuevamente a Noruega, donde sería alcanzado en marzo de 1944 por un torpedo lanzado desde el submarino británico *Terrapin*.[52] Averiado y a medio hundir quedó encallado en la costa con uno de sus dos aviones meciéndose sobre el agua. El viejo barco se resistía a su inevitable final, pues luego del ataque lo trasladaron a Oslo –al finalizar la guerra se lo utilizaría como barco vivienda– y a fines de 1946 se hacía nuevamente a la mar aunque por muy poco tiempo, ya que el último día del año, cargado de armas químicas, el *Schwabenland* fue hundido por los ingleses en el Estrecho de Skagerrak.

En el fondo del mar finalizaba la historia del barco con el que los nazis intentaron apropiarse de vastas regiones antárticas. Pero sus acciones militares en los mares del sur no se limitaron al *Schwabenland*. Numerosos barcos de la armada alemana, fuertemente armados, perpetraron durante el conflicto la muy poco conocida Guerra Antártica.

---

51 El primero aconteció en la medianoche del 5 de agosto cuando seis lanchas torpederas y artilladas británicas abrieron fuego sobre la formación. Una lancha resultó destruida y otra hundida. Dos horas después un nuevo ataque dejaba como saldo otras dos lanchas británicas destruidas, mientras un torpedo que iba dirigido al *Schwabenland* hundió a un barco escolta. A las 3 a.m. lanchas artilladas británicas comenzaron un duro intercambio de artillería que terminó en cinco hundimientos por bando.

52 *Revista Nautilus*, Hamburgo, año 2, n° 1, enero de 1974.

La ofensiva de Perón

En el discurso de apertura del período legislativo de 1949, el presidente Juan Domingo Perón afirmaba ante el Congreso de la Nación que "no confiamos a nadie la defensa de nuestras razones, que incumbe a la conciencia nacional argentina y a nuestros derechos históricos y estimamos que en el momento oportuno será preciso examinar nuevamente de un modo efectivo cuestiones de fondo, cuya trascendencia no sería prudente disimular. El hecho de plantear pacífica y sosegadamente nuestra reivindicación antártica no disminuye un grado su eficacia y constituiría un error muy grave suponerlo así." Estas palabras sintetizan claramente la postura de Perón frente a los intereses de las potencias imperialistas en el sector antártico argentino.

Las acciones conjuntas argentino-chilenas en defensa de la soberanía de ambos países sobre la Antártida sobrevivieron finalizada la Segunda Guerra. Los unían las agresiones de los británicos, como así también la estrategia de Perón de acuerdos bilaterales de cooperación y complementación con los países vecinos.[53] Durante su gobierno la Argentina desplegó políticas activas para el sector: campañas anuales levantaron 17 destacamentos, bases y estaciones científicas, algunas de carácter permanente, además de realizar intensas campañas de exploración polar. Esas medidas derivaron en mayor

---

53 Juan Archibaldo Lanús, *De Chapultepec al Beagle*, Buenos Aires, Emecé, 1984.

tensión con los británicos, quienes consideraban a Perón un dictador germanófilo.

Por su parte, el Reino Unido intensificó su presencia en la región luego del fin de la guerra. Durante ese período se registraron los incidentes más serios entre ambos países, incluidos intercambios de disparos, que si bien luego se resolvían con notas diplomáticas no dejaban de ser hipótesis de conflictos de mayor escala, a pesar de que las cancillerías correspondientes convinieron en acallarlos por todos los medios para que no trascendieran a la opinión pública.[54]

Ya desde 1946 venían produciéndose roces a raíz de la emisión por parte de Gran Bretaña de una serie de sellos postales de las Islas Malvinas y sus dependencias territoriales, y un mapa del sector antártico pretendido por ese país bajo el título *Falkland Islands Dependencies*, publicación que provocó la protesta de la Cancillería argentina frente a la Embajada británica, además de una comunicación a la Unión Postal Universal que expresaba que la correspondencia llegada al país con dichos sellos sería considerada carente de franqueo. La nota estaba firmada por el entonces ministro de Relaciones Exteriores y Culto, John William Cooke, luego líder de la heroica Resistencia peronista.

Fue en el marco de esa tensión creciente que Perón decidió aumentar la presencia argentina en el continente

54 Ernesto Fitte, *La disputa con Gran Bretaña por las Islas del Atlántico Sur*, Buenos Aires, Emecé, 1968.

austral. El 4 de enero de 1947 el buque *Patagonia* zarpaba de Buenos Aires con dirección a la Antártida,
acompañado por el transporte *Chaco*, el petrolero *Ministro Ezcurra* y el ballenero *Don Samuel*, a los que se
unió a la altura de Ushuaia el ballenero *Don Ernesto*.
Se trataba de la tercera expedición antártica que realizaba el gobierno argentino, bajo el mando del capitán
de fragata Luis Miguel García. Veinte días después el
Patagonia y el *Don Samuel* llegaban a los hielos antárticos. Un arquitecto y 24 soldados construyeron un
refugio en la Isla Curie, mientras el *Patagonia* anclaba
en la Isla Decepción frente a los buques ingleses *Fitz
Roy* y *Trepassey*. Un grupo de oficiales visitó en esa
ocasión la estación británica. Días después el *Don Samuel* patrullaba la base británica de Port Lockroy y la
de la Isla Stonington. Luego los tres barcos de la expedición anclaron en la Isla Decepción, al tiempo que el
hidroavión sobrevolaba la estación inglesa y fotogra-
fiaba la zona. También la base británica de Caleta Mar-
tel fue inspeccionada mientras los buques *Murature* y
King, refuerzo de la flota argentina, relevaron las estaciones del Reino Unido en Puerto Lockroy y de Islas
Argentinas. Durante la travesía se construyeron el faro
Patagonia, en la Isla Doumer, las balizas King, en el Cabo Anna, y la Fournier en la Isla Anvers. Poco antes del
regreso, el 31 de marzo quedó inaugurada una estación
en la Isla Gamma con una ceremonia en la que se izó la
bandera argentina. Una dotación de nueve hombres pasó
allí el invierno y en mayo recibió el correo transportado
por el *Fournier*.

La expedición del *Patagonia* no estuvo libre de disputas con los británicos por sitios para asentamiento, desacuerdos que provocarían el intercambio de notas *in situ* y posteriormente entre las cancillerías. La primera fue enviada el 3 de enero por Gran Bretaña, a través de la cual ofrecía "ayuda" a la expedición argentina al tiempo que calificaba a sus miembros como "visitantes argentinos" en territorio británico. En febrero, el ministro de Relaciones Exteriores y Culto, Juan Atilio Bramuglia, respondía con una extensa nota que reafirmaba los derechos argentinos sobre dichos territorios. Nueve días después de su inauguración, un magistrado británico, en nombre del gobernador de las Islas Malvinas, entregaba al oficial argentino a cargo del puesto en la Isla Gamma una protesta británica por violación de su territorio, sin recibir, según la Embajada, ninguna respuesta por el reclamo.

Ante las constantes agresiones británicas, los gobiernos argentino y chileno acordaron realizar una conferencia internacional para resolver sus pretensiones sobre la Antártida, pero las provocaciones continuaron. En diciembre Robert Leeper, embajador del Reino Unido en la Argentina, enviaba otra nota en la que sugería solicitar al gobierno de Su Majestad el arrendamiento de la base ocupada en Isla Gamma y, en el caso de que la Argentina no reconociera los derechos británicos, invitaba a dirimir la cuestión en la Corte Internacional de Justicia de La Haya. Una nota similar fue recibida por Chile respecto de sus bases, acompañada días después por otra protesta escrita con motivo de los desembarcos argentinos en la Isla Decepción.

En octubre y noviembre varios barcos argentinos visitaron esa isla provocando irritación en los británicos. El primero en arribar fue el barreminas *Bouchard* que permaneció anclado en el Puerto Foster de la isla el 26 de octubre, para emprender el regreso ocho días más tarde después de un infructuoso intento por alcanzar Isla Gamma.[55] El 12 de noviembre llegaba a la isla el *Granville*, que zarparía ocho días después para entregar la posta al *King*, que, además de anclar en Puerto Foster, desembarcó un equipo que instaló una estación meteorológica ni más ni menos que frente a la estación ballenera británica. El mismo mes otros cinco barcos, entre ellos el petrolero *Ministro Ezcurra*, rondaron la isla. Si los británicos se sintieron intimidados ante tal despliegue, el 12 de diciembre debieron interpretar que estaban siendo invadidos, ya que atracaron frente a su base en la Isla Decepción los barcos argentinos *Granville, King, Pampa, Charrúa, Ministro Ezcurra, Muratore* y *Esiv Brunt*, además de los sobrevuelos del nada discreto hidroavión *Walrus* del *Pampa* y una lancha de desembarco.[56] Al día siguiente

55 Hipólito Bouchard fue un famoso corsario argentino en los días de las luchas por la independencia, que hizo flamear la bandera argentina alrededor del mundo, izándola incluso en la California, que por el espacio de doce días estuvo bajo su poder. El barreminas con este nombre estaba al mando del capitán de corbeta Morroni.

56 El *Pampa* era un barco de transporte al mando del capitán de corbeta Oscar Rousseau, mientras que el *Charrúa*, comandado por el teniente de navío Raul Kolbe, era un remolcador, y el *Esiv Brunt* un barreminas.

los súbditos de la corona quedaron atónitos al observar cómo un avión de considerable tamaño, llegado del continente, lanzaba grandes paquetes sobre los barcos argentinos.[57]

Parecía imposible detener el avance argentino. En los primeros días de 1948 el barreminas *Seaver* y el remolque *Charrúa* construyeron otra base en la Isla del Rey Jorge, a metros de la estación británica. Cuando sus ocupantes se ausentaron circunstancialmente para realizar estudios científicos, los británicos aprovecharon para inspeccionar la base, atropello que provocó la designación de una custodia permanente. Por otro lado, se transformó la estación de la Isla Decepción en una base permanente con una dotación de diez hombres.[58]

Finalmente la fuerza argentina emprendió el regreso, no sin antes sobrevolar nuevamente la isla. Sólo permanecieron en el lugar el *Seaver* y el *Charrúa*, que recibieron a la corbeta británica *Snipe* con un mensaje que le comunicaba que se encontraba en territorio argentino y otro en el que se le preguntaba si tenía autorización para navegar en aguas territoriales. La *Snipe* había zarpado de

[57] Los paquetes contenían correo y órdenes. El avión estaba piloteado por el almirante Gregorio Portillo y realizó un vuelo, ida y vuelta, de quince horas y media, desde Piedrabuena, en la Patagonia, pasando por la Isla Decepción, la Isla Gamma, donde también lanzaría el correo, llegando finalmente a la Isla Adelaida.

[58] El jefe de este destacamento era el teniente de navío Roberto A. Cabrera. Además, el grupo estaba compuesto por un médico y ocho soldados de la Armada.

Puerto Stanley, y apenas el Almirantazgo tuvo noticias de la presencia de la flota argentina en la Antártida se le sumó el crucero *Nigeria*. Navegaron a toda máquina hacia Decepción, pero, como se ve, llegaron tarde. Por su lado los súbditos australianos ofrecieron enviar un buque de guerra como refuerzo, proposición que no fue aceptada. Cuando el *Snipe* arribó a Puerto Foster el 4 de febrero, los británicos protestaron por la "conducta provocativa" de los argentinos. Al día siguiente llevaron la disputa a un ámbito en el que los británicos, pero mucho mejor los argentinos, se saben defender: la tripulación argentina del *Seaver* desafió a sus pares del *Snipe*, duelo que resultaría en el primer partido de fútbol internacional jugado en la Antártida. Los británicos ganaron 1 a 0, naturalmente según los documentos de ese país. Sin embargo, muy pronto llegaría la oportunidad de la revancha, ocasión que los argentinos no desaprovecharon.[59]

No satisfechos con estorbar a los argentinos, los británicos se dedicaron además a provocar a los chilenos. Es así como el 7 de marzo el *Snipe*, secundado por el buque de guerra *Nigeria*, llegó a la base chilena Soberanía, en la Isla Greenwich, estación que un mes antes había visitado el presidente chileno Gabriel González Videla. Desde el *Nigeria* se lanzó una lancha de desembarco con alrededor de 50 soldados que avanzó sobre

---

59 Cfr. *Revista de Marina*, Santiago de Chile, vol. 111, febrero de 1994.

la base, en la que el teniente chileno Francisco Araya los esperaba dispuesto a hacer uso de "la ametralladora y seis fusiles".[60] La situación venía tensándose desde hacía días, pues los chilenos estaban hartos de escuchar por radio los improperios que les arrojaba el Primer Ministro británico, quien los acusaba de piratas y ladrones. El uso de la fuerza no fue necesario ya que la embarcación, por desechar las advertencias de "bajos peligrosos" que le hacían los chilenos, se hundió al chocar con las rocas que no alcanzó a divisar. En realidad los chilenos habían mostrado esa señal cada vez que los británicos les solicitaron "indique acceso a puerto", lo que significa que los súbditos de la corona pasaran por alto las advertencias. Desde los barcos lanzaron botes de rescate al tiempo que se iniciaba una fuerte tormenta. Aunque no fue informado, es probable que la baja temperatura del agua y las condiciones climáticas hayan ocasionado víctimas mortales.

A pesar de las complicaciones, los británicos se las arreglaron para enviar una segunda lancha, que desembarcó en otra parte de la isla. Poco después un oficial acompañado por cuatro soldados llegaban a la base

---

60 El destacamento de la estación estaba compuesto por el teniente Francisco Araya Prorromant, jefe de la estación, el subteniente Joaquín Díaz Martínez, segundo al mando, el sargento 1º Rubén Sarmiento, enfermero, el sargento 2º Carlos Cisterna, radiotelegrafista, el cabo 1º Roberto Núñez, operador de radio, el marinero Otto Miranda y el marinero Carlos Caroca Donoso, cocinero del grupo.

chilena. Conversaron cortésmente al tiempo que disfrutaban de una taza de té, pero el tono amable se esfumó cuando Araya rechazó la protesta escrita que le entregó el invitado. El oficial inglés perdió su buen humor y se retiró de la base, no sin antes terminar en silencio su té. Algunos días después, un despacho de la agencia Reuters narraba su propia versión de los hechos, un tanto distorsionada: "(...) el hielo impidió que el mayor Wilson, comandante del destacamento de Infantería de Marina del Nigeria, desembarcara. Una lancha a motor trató de abrirse paso entre el hielo, pero no pudo atravesar el canal cerrado por las aguas heladas. El viento hacía peligroso el desembarco y por eso la protesta fue enviada por telégrafo a la base chilena. No se cambiaron saludos, aunque podíamos ver a los chilenos en las playas desoladas".[61]

Ese mismo verano Perón había ordenado a la Flota de Mar que navegara rumbo a la Antártida para reafirmar los derechos argentinos sobre el territorio reclamado. Así se movilizaron los cruceros *Almirante Brown* y *25 de Mayo*, los destructores *Misiones, Entre Ríos, Santa Cruz, San Luis, Mendoza* y *Cervantes*, y los buques de transporte *Patagonia* y *Ushuaia*.[62] La expedición, que

61 Cfr. *Boletín Antártico Chileno*, noviembre de 1994.

62 El *25 de Mayo* era el buque insignia de la expedición, un crucero de 6.800 toneladas como el *Almirante Brown*, mientras que los destructores *Entre Ríos, San Luis, Misiones* y *Santa Cruz* portaban 1.370 toneladas, el *Mendoza* 1.570 y el *Cervantes* 1.522. Además de los transportes *Patagonia* y *Ushuaia*, acompañaban a la tripulación algunos pequeños barcos auxiliares.

contaba con 3.500 miembros, navegaba bajo el mando del vicealmirante Juan M. Carranza y tenía como misión relevar a la dotación de Melchior, visitar la estación de la Isla Laurie y construir una tercera estación en la Isla Decepción.[63]

Una vez que la flota argentina llegó a la Isla Decepción el 22 de febrero, sus aviones despegaron para fotografiar una vez más la isla. Allí se encontraron con la flota chilena, en la que viajaba el presidente de dicho país. Intercambiaron saludos amistosos y reportes meteorológicos, y a continuación se realizó una ceremonia en la nueva estación, durante la cual se descubrió una pintura que retrataba al fundador del Partido Justicialista. Luego de una ceremonia similar en la Isla de Gamma, la flota emprendió el regreso el día 25, pero la activa presencia argentina continuó con el barco *Parker* en la Isla Decepción, al tiempo que una corbeta visitaba la estación británica en Puerto Lockroy.[64] Sin descanso, éstos y otros barcos argentinos continuaron sus patrullajes hasta el 11 de abril.[65]

Mientras tanto, el 28 de enero, y en Buenos Aires, el canciller argentino había enviado una extensa nota a la Embajada británica que expresaba el punto de vista argentino, que consideraba ilegítima la soberanía británica sobre las Islas Malvinas y el sector antártico en

---

63 Por esta acción los argentinos pasarían a denominar Mar de la Flota al que hasta ese entonces se llamaba Estrecho de Bransfield.

64 También se erigió una baliza en la Isla Melchior.

65 Cfr. *The Polar Record*, Londres, vol. 6, n° 45, enero de 1953.

cuestión. Invalidaba la nota recibida en la Isla de Gamma, al tiempo que proponía una conferencia internacional para determinar un status jurídico político de la región, adelantándose así una década al Tratado Antártico. Dos días después la Cancillería chilena enviaba una nota similar a John Leche, embajador británico en Santiago. El 3 de marzo la exasperación de Londres llegó a tal punto que el canciller Ernest Bevin fue citado para una interpelación en la Cámara de los Comunes. Le solicitaron informes sobre la "intrusión ilegal" de fuerzas argentinas y chilenas en las "dependencias de las Falkland", además de preguntarle si las Islas Shetland se encontraban bajo la Doctrina Monroe, a lo cual el canciller respondió "no, ciertamente no por los Estados Unidos". La Doctrina Monroe había sido un instrumento enarbolado por Washington contra los nazis y luego contra los soviéticos y, si bien los norteamericanos no reconocían soberanías en la Antártida, se declaraban en abierta simpatía con la posición británica. En sentido contrario se produjeron muestras de solidaridad latinoamericana, tal como lo demuestra una carta del gobierno de Venezuela al argentino, en el que se declaraba a su favor en la resolución del conflicto austral, mientras el Congreso de ese país afirmaba la soberanía argentina y chilena sobre la zona, calificando la presencia británica como "restos de coloniaje en América" que deben ser erradicados "de una vez y para siempre".

En 1949 la tensión entre británicos, chilenos y argentinos aminoró cuando las tres naciones acordaron no enviar más buques de guerra ni hacer demostraciones navales al sur del paralelo 60, convenio anual que se renovó hasta 1957. El acuerdo tuvo su origen en un memorándum de ese mismo año girado por el gobierno norteamericano a los siete países con presencia en el continente en la Antártida, y proponía la internacionalización del continente austral.[66] Dicha propuesta significaba la entrada en escena de un nuevo actor y la consiguiente complicación del panorama, especialmente a principios de la década que se iniciaba.

Los años de vigencia del acuerdo permitieron la normalización y el avance de las actividades científicas y de exploración, pero el primer día de 1950 la *Royal Navy* incautó las instalaciones argentinas en Gritviken, en Georgias del Sur, retiró el instrumental de la Oficina Meteorológica para luego trasladarlo a Montevideo, donde sería entregado al gobierno argentino. Pero la situación se tornó peligrosamente tensa el 1 de febrero de 1952, cuando el destacamento argentino a cargo de la base Esperanza, por orden de su comandante, impidió el desembarco de una partida británica con sostenidas ráfagas de ametralladora. Se ha afirmado que los "visitantes" tenían la misión de instalar una base, aunque también se ha dicho que su objetivo era desalojar al destacamento argentino. Fue una victoria efímera, ya que al año siguiente, precisamente el 15 de febrero, la corbeta *Snipe*, apoyada por la fragata *Birburg Bay*,

---

66 Esos países eran Argentina, Chile, Gran Bretaña, Nueva Zelanda, Australia, Noruega, y Francia.

transportó a un magistrado británico, dos policías y alrededor de quince soldados de infantería de marina bien pertrechados que desmantelaron las instalaciones argentinas y detuvieron a sus ocupantes para entregarlos en Uruguay, violando abiertamente el Pacto de Río.[67]

Al día siguiente el embajador británico remitió a la Cancillería argentina una nota en la que protestaba enérgicamente porque el comandante y la tripulación del remolcador naval argentino *Chiriguano* habían instalado "una casilla, una carpa, la bandera argentina y otros equipos" en la Isla Decepción, a sólo 400 metros de su base y, según la nota, en el extremo sur de la pista de aterrizaje construida en 1928 por sir Hubert Wilkins.[68] Decía que la presencia argentina violaba territorio de "Su Majestad", al tiempo que se quejaba de que el *Chiriguano* había utilizado el desembarcadero que "pertenecía" a sus establecimientos. A pesar de que el documento definía la expedición argentina como incursión armada, preferían "tratar el caso sencillamente como una violación

---

[67] Ernesto Juan Fitte, *Escalada a la Antártida*, Buenos Aires, Depalma, 1973.

[68] El *Chiriguano* era un remolcador de mar utilizado como buque hidrográfico. Fue construido en Orange, Texas, por el astillero Levingston Shipbuilding Co. había pertenecido a la armada norteamericana. Su tripulación era de 50 hombres y disponía de dos motores diesel eléctricos con 1.925 hp, que desarrollaban una velocidad de 15 nudos, con un alcance de 16.700 millas. Con 800 toneladas sus medidas eran: eslora 43,60 metros, manga 10 metros, puntal 5,20 metros, calado medio 4,85 metros.

del derecho civil". Intentaban encuadrar el caso con características de incidente privado, aunque la inmediata deportación de los argentinos era claramente un acto de agresión, puesto que los involucrados eran miembros de las Fuerzas Armadas, los edificios eran propiedad gubernamental y los equipos habían sido transportados por un buque de guerra.[69] Una semana después José Sosa Molina, ministro interino de Relaciones Exteriores, contestó ratificando la soberanía argentina en la zona, además de requerir "la inmediata libertad y la restitución al lugar de los sucesos, de las personas detenidas y de los efectos y la documentación incautados a raíz del incidente, así como la reconstrucción de lo destruido". El conflicto se resolvió finalmente, según lo poco que trascendió, en el ámbito diplomático. Afortunadamente esa suma de incidentes no produjo más que una guerra burocrática de notas, reclamos cruzados y afirmaciones de derecho de soberanía.

Los roces finalizaron recién en 1961 cuando entró en vigencia el Tratado Antártico, cuyo artículo primero prohíbe toda acción de carácter militar en el continente, tal como el establecimiento de bases y fortificaciones, la realización de maniobras así como los ensayos de toda clase de armas, aunque permite el empleo de personal o equipos militares para investigaciones científicas.

---

69 Juan Carlos Puig, *La Antártida Argentina ante el derecho*, Buenos Aires, Depalma, 1960.

El Tratado Antártico fue una consecuencia más de la Guerra Fría. Si bien la disputa por la Antártida entre los Estados Unidos y la Unión Soviética databa, como ya hemos dicho, de 1939, no fue sino hasta el final de la Segunda Guerra que ambos contendientes dispusieron un despliegue inédito en el continente blanco. Los norteamericanos se consideraban con derecho a reclamar toda la Antártida y temían que los enfrentamientos entre distintos países por los reclamos de soberanía provocaran la intervención soviética –temían, infundadamente, que instalaran plataformas lanzamisiles en el continente blanco–, por lo cual la potencia occidental promovió el Tratado Antártico, firmado en Washington por los trece países interesados en el continente en 1959: Argentina, Australia, Bélgica, Chile, Estados Unidos, Francia, Gran Bretaña, Irlanda del Norte, Japón, Noruega, Nueva Zelanda, Sudáfrica y la Unión Soviética.[70]

El tratado logró que la Antártida se mantuviera desmilitarizada, libre de desechos radiactivos peligrosos y su medio ambiente protegido. Si bien reconocía los reclamos de la Argentina, Australia, Chile, Francia, Gran Bretaña, Noruega y Nueva Zelanda, éstos se congelaban

70 A pesar del Tratado Antártico, la guerra de Malvinas demostró que el conflicto antártico anglo-argentino está lejos de resolverse, pues en junio de 1982 un buque de guerra británico desalojó y destruyó las instalaciones de la moderna estación científica Corbeta Uruguay en las Islas Sándwich del Sur. Véase A. Quevedo Paiva, *Antártida: pasado, presente, ¿futuro?*, Buenos Aires, Círculo Militar, 1987.

por tiempo indefinido para mantener la cooperación científica. De hecho, varios consensos internacionales permitieron investigaciones conjuntas entre países que se encontraban en los polos opuestos del espectro político.[71]

Durante la Guerra Fría se continuó utilizando la táctica de lanzar insignias desde aviones. Durante la expedición *High Jump* en 1947 los norteamericanos lanzaron pequeños tubos con banderas, monedas y reclamos territoriales. Esta expedición, comandada por el omnipresente almirante Byrd, representó el mayor de los despliegues militares realizado por alguna potencia en el continente antártico. La *Task Force 86*, tal como fue llamada, estaba formada por el submarino *Sennet SS-48*, el *Mont Olympus,* buque insignia de la expedición, un portaaviones, dos buques-madre de aviones, dos destructores, rompehielos, dos buques cisterna y dos transportes de tropas, un total de más de 4.000 hombres. También utilizaron helicópteros, y se realizaron desembarcos con tanquetas anfibias en las montañas Rockefeller, que instalaron depósitos de comida y combustible al pie del Monte Helen Washington. Por otro lado Byrd movilizó, con ayuda del virrey de Japón, el general Douglas Mc Arthur, una flota de balleneros japoneses como apoyo de su expedición, que utilizó hidroaviones para fotografiar la zona explorada.

La Unión Soviética no se quedó atrás, ya que en el verano de 1946 ya se encontraba su flota ballenera operando

71 Ernesto Juan Fitte, *Crónicas del Atlántico Sur*, Buenos Aires, Depalma, 1973.

en aguas antárticas. Luego desembarcaron en el sector reclamado por los australianos y anunciaron que no se retirarían del territorio donde aún continúa en funcionamiento su estación Progress. Soviéticos e indios aprovecharían el Oasis Schirmacher en la Tierra de la Reina Maud, descubierto por la expedición de Ritscher. Allí instalaron la base rusa *Novolazarevskaya* y la india *Maitre*. Entre las dos bases hay una distancia de sólo cinco kilómetros y ambas suman una población de más de un centenar de ocupantes durante el verano, además de gran cantidad de vehículos e instrumentos científicos. El proyecto de Ritscher de instalar una base en el Oasis para realizar desde allí diversas expediciones hacia las regiones montañosas en el interior del continente –además de anexar esa región al Tercer Reich–, sería materializada cuarenta años después por rusos e indios, pero también por los alemanes que finalmente han instalado una base en su Nueva Suabia. A pesar de que nieguen cualquier reclamo de soberanía sobre el lugar, es notorio que las expediciones alemanas consideran esta región como propia.[72]

---

[72] Algunas fuentes hablan de un decreto del Reich fechado el 12 de agosto de 1939 que anexaba la región, pero es prácticamente imposible encontrar tal documento en los archivos alemanes. No sería extraño que cuando los recursos naturales escaseen aún más en el planeta y se plantee descongelar el Tratado Antártico, aparezcan ciertos documentos extraviados en el archivo del Ministerio de Relaciones Exteriores alemán.

CUARTA PARTE

El nexo

Hanna Reitsch, la aviadora de Hitler. Con su secreto a la tumba

No sería el archiduque de Austria Juan Salvador de Habsburgo-Toscana el único en intentar fraguar su muerte y huir hacia la Patagonia. Muchos nazis seguirían el mismo camino después de la Segunda Guerra Mundial pero, por el rigor de los preparativos y la importancia política de los personajes involucrados, la trama urdida por el conde sueco Folke-Bernadotte no encuentra parangón en la historia. Y le cupo a una mujer llevarla a cabo, rodeada de indecibles peligros que supo enfrentar sin claudicar ni un instante.

Hanna Reitsch era menuda y atractiva. Más allá de sus encantos femeninos, una incontenible atracción por la aventura y el riesgo la llevaron a competir en un ambiente tan hostil como la *Luftwaffe*, donde todos sus camaradas eran hombres, algunos de probado valor y arrojo.[1] Cuando Alemania finalmente se rindió, en mayo de 1945, Hanna Reitsch permaneció un año y medio

---

1 Esa actitud, en aquella época, le valió algunos prejuicios sobre sus inclinaciones sexuales, que acalló llevando una activa vida amorosa heterosexual.

detenida en cárceles aliadas. La acusaban una y otra vez de ayudar a escapar a jerarcas del Reich durante los últimos días de guerra, en medio de los devastadores bombardeos soviéticos.

Había nacido en Hirschburg, Silesia, el 29 de marzo de 1912. Influida por su padre oftalmólogo, ingresó a la carrera de Medicina, pero pronto dejó todo para dedicarse por completo a su gran pasión. Comenzó volando planeadores con los que obtuvo varias marcas mundiales, al tiempo que su popularidad crecía en Alemania y en el resto del mundo.

En 1937 el entonces general Ernst Udet –el mismo que algunos años antes había hecho demostraciones de vuelo y vendido sus aviones en la Argentina– la nombró capitán del aire y piloto de pruebas de la *Luftwaffe*. Reitsch probó desde aviones-cohetes hasta los primeros helicópteros operativos del mundo, así como transportes y V-I –Fieseler Fi-103–, un intento desesperado por utilizar el pulsorreactor como avión de caza. Sufrió graves accidentes que no la amedrentaron. Adolf Hitler, que la admiraba por su sencillez y valentía, la condecoró personalmente con la Cruz de Hierro de segunda y primera categoría. Después, cuando la responsabilidad de buena parte del plan de rendición y fuga recayó sobre sus espaldas, el *Führer* le prohibió realizar vuelos de prueba.

El Centro Simón Wiesenthal y muchos historiadores coinciden en que Hanna y su novio, el general Robert Ritter von Greim, fueron los últimos visitantes del *bunker* de Hitler entre el 26 y el 29 de abril de 1945. En *Volar es mi vida*, es decir en sus memorias, Reitsch reconoce ese hecho, pero se negó a confirmar en los interrogatorios de los Aliados si ella efectivamente había sacado a Hitler de Berlín. Su libro dice que se llevaría ese secreto "a la tumba". El 24 de agosto de 1979 cumplía con su palabra.

Por aquello de que quien calla otorga, los hechos ocurridos la última semana de abril en el *Führerbunker* se siguen debatiendo. La revisión histórica se plantea, entre otras cosas, el misterio de la muerte o la eventual fuga de Hitler y el papel cumplido por su mujer piloto de confianza.

Quienes en aquellos días afirmaron que Hitler había muerto en el *bunker* junto a su esposa eran un grupo de nazis fanáticos que intentaron idealizarlo, produciendo sobre su muerte supuesta una larga serie de versiones heroicas de corte wagneriano. Cuando el transcurrir de la Guerra Fría mostró que los nazis tenían razón, esto es, que los verdaderos enemigos del poder occidental eran los *rojos* de la Unión Soviética, variaron la versión heroica por una deleznable, que presentaba a un *Führer* enfermo, tembloroso, arrastrándose como un caracol, una variante acorde con los tiempos, políticamente correcta. Muchas organizaciones occidentales se plegaron, por connivencia política y por abultadas sumas, a las versiones nazis. Pero la verdad corre por carriles contrapuestos.

Oficialmente, Adolf Hitler es uno de los tantos desaparecidos de la guerra. Cuando no cuenta con un cadáver a la vista ni rastros del mismo, como en el caso Hitler, la ley alemana obliga la apertura de un proceso por "desaparición" cuyo final, si no se encuentran evidencias, es la declaración de "muerte civil" a fin de que los deudos puedan disponer de los bienes del desaparecido. Y así sucedió en 1956 cuando el tribunal de Berchtesgaden, diez años después de su desaparición, declaró a Hitler oficialmente muerto. Durante ese período nadie acercó al juzgado restos calcinados, dentaduras, cráneos, ni la más mínima prueba o indicio que probara su defunción. Por lo tanto, aquellos que con fervor argumentan su fallecimiento en el *bunker* pretenden manipular la opinión pública. Hasta la fecha ni sus restos ni los de sus allegados más íntimos han sido encontrados, por lo cual todas las versiones, tanto su eventual fuga como su muerte, son meras hipótesis. Oficialmente, Hitler desapareció.

En los comienzos de la Guerra Fría la versión de la muerte en el *bunker* produjo enormes riquezas a quienes la propalaron en forma de libros: "memorias" de choferes de cuarta categoría, cocineras vegetarianas, secretarias, edecanes, mecánicos, generales, cabos, tenientes, aviadores, telefonistas, encargados del aire acondicionado, de la limpieza, pintores, jardineros, albañiles, cerrajeros, veterinarios, médicos, aprendices de brujos, políticos de todo tipo, arquitectos, ingenieros y toda la parafernalia nazi, que sumados serían tal vez 5.000 personajes, intentaron hacer creer al mundo que todos estuvieron reunidos en los 150 metros cuadrados del inundado *bunker,* en abril de 1945. Algunos de esos libros se transformaron en taquilleras películas mientras otros, luego de que sus autores cobraran sustanciales cantidades de dinero de diversos organismos de seguridad, pasaron sin pena ni gloria. Lo cierto es, entonces, que todas esas versiones fueron propagadas por nazis que alegaron su presencia en el *bunker*, hasta el minuto final, a la vez que, en su totalidad, niegan el genocidio. Es decir que los testigos de nuestra historia son criminales de lesa humanidad que, por gracia de los vaivenes de la política internacional, se transformaron en personas honradas, honestas y creíbles.

Por otra parte, ningún aliado occidental estaba en condiciones fácticas de aportar información cierta en la medida en que Berlín y los territorios aledaños que luego conformarían la República Democrática Alemana habían sido tomados por los soviéticos. Sin embargo, dos personajes conocían perfectamente el tejido de la telaraña. Uno era aliado occidental, el otro era neutral. Allen Welsh Dulles, director de la OSS –antecedente inmediato de la CIA– en Europa, y el conde sueco Folke-Bernadotte, presidente de la Cruz Roja de Suecia, entablaron en los últimos meses del Reich profundas tratativas con la cúpula nazi para obtener una paz favorable a Occidente, es decir, contraria a los intereses comunistas. El conde, además de proporcionar pasaportes y todo tipo de pases a los nazis en fuga, fue el ideólogo de la eventual fuga de Hitler y del modo en que esa desaparición debería ser presentada al público.

Allen Welsh Dulles (1893-1969), hermano menor del secretario de Estado de los Estados Unidos de América John Foster Dulles, fue el cerebro de las operaciones políticas norteamericanas durante la Guerra Fría. Los hermanos Dulles eran acérrimos anticomunistas. Allen recibió su Master of Arts en la Universidad de Princeton, brindó servicios diplomáticos en Viena y Berna, colaboró con la American Commission at the Paris Peace Conference en 1919 y sirvió luego en la Embajada americana en Berlín y en Estambul. Retornó a los Estados Unidos en 1922 como jefe de Estado del Departamento del Cercano Este. Se recibió de abogado en 1926. Poco después fue consejero de la delegación americana en la China. Insatisfecho con su salario, se retiró de la actividad pública para trabajar en la firma de abogados Sullivan y Cromwell, de la que su hermano John Foster era asociado y que a la sazón representaba, entre otros, los intereses empresarios de Rockfeller, Morgan, Mellon y de United Fruit Company. Nada nuevo bajo el sol.[2]

Durante la Segunda Guerra Mundial fue jefe de la OSS en Europa, y había colaborado con el general Bedell Smith en la fundación de la CIA. Eisenhower lo nombró director de la agencia en 1953. En cuestiones de petróleo, siempre en la mira del poder norteamericano, los terribles hermanos conspiraron para derrocar al líder iraní nacionalista Mohammed Emossagdeh e imponer nuevamente al Sha Pahlevi. Más tarde Allen organizó vuelos de reconocimiento sobre la Unión Soviética,

2 Su lealtad a la United Fruit quedó demostrada cuando, actuando mancomunadamente, derrocaron al gobierno de Guatemala encabezado por Guillermo Arbenz. Al mejor estilo Al Qaeda, demonizaron a Arbenz por haber nacionalizado las plantaciones de bananas de la United Fruit en ese país. Lo acusaron de agente de la Unión Soviética y de estar armando un poderoso ejército destinado a trastocar la paz mundial. Obsérvese que se trataba de Guatemala.

que fueron suspendidos después del derribamiento del avión espía de Francis Gary Powers. El fracaso del plan determinó su desplazamiento temporal de la CIA, pero cuando John F. Kennedy alcanzó la presidencia volvió a nombrarlo director de la agencia. Tras un nuevo fracaso, esta vez como organizador de la invasión a Bahía de Cochinos en Cuba, parecía que su retiro de la política era definitivo, pero Lyndon B. Johnson lo nombró presidente de la Comisión Warren que investigó el asesinato de Kennedy. En pocas palabras significaba meter el zorro en el gallinero pues era uno de los sospechosos de la conspiración, y conspicuo participante, desde principios del siglo, en asuntos de alta política.[3]

Tras su despido Dulles odiaba al presidente asesinado en Dallas, a quien consideraba un tibio anticomunista.

The secret surrender (La rendición secreta)

Las cuestiones políticas que se debatían al final de la Segunda Guerra no eran menores; de hecho, marcarían

---

3 Véase al respecto Anton Chaitkin, "Treason in America. From Aaron Burr to Averell Harriman", en *Executive Intelligence Review*, Washington, 1998; Josiah E. DuBois Jr., *The Devil's Chemists, 24 Conspirators of the International Farben Cartel who Manufacture Wars*, Boston, The Beacon Press, 1952; John Foster Dulles y Hjalmar Schacht, "The Young Plan in Relation to World Economy", en Foreign Policy Association, Nueva York, 1930; Charles Higham, *Trading With the Enemy: An Expose of the Nazi-American Money Plot 1933-1949*, Nueva York, Delacorte Press, 1983.

la historia de la segunda mitad del siglo. Gran Bretaña ya no debería preocuparse por su imperio, que estaba perdido, sino por cómo enfrentar las deudas contraídas para el esfuerzo bélico y por evitar, a toda costa, que los soviéticos se apoderaran de Europa. Los Estados Unidos, en posesión de la bomba atómica y una economía cuya fortaleza no tenía parangón en la historia, buscaban finalizar cuanto antes la contienda en Europa y Oriente para comenzar a comercializar agresivamente su producción en los enormes mercados que ahora tenía a su disposición. La Unión Soviética de Stalin, que había soportado años de ocupación nazi, se debatía por obtener la mayor tajada posible de territorios europeos, por expandir su sistema político y, sobre todas las cosas, por conseguir salidas francas al Atlántico y al Mediterráneo. Con intereses tan dispares, desde mucho tiempo antes los Aliados eran un grupo de enemigos mortales unidos por un aparente enemigo común: Adolf Hitler.

A espaldas de los soviéticos, Dulles mantuvo negociaciones con nazis del más alto nivel, y conocía personalmente a Hitler. En el último año de la guerra, preocupado por el avance de los soviéticos en Europa, dispuso una serie de acciones destinadas a lograr una paz por separado con los nazis y, de ser posible, arrojar a los soviéticos fuera de Alemania peleando junto al ejército germano. En su libro *The Secret Surrender*[4] narra esas gestiones, que comenzaron precisamente en Italia, donde se encontraba

---

4 Londres, Weidenfeld & Nicholson, 1967.

acantonado uno de los ejércitos alemanes más poderosos al mando del mariscal de campo Kesselring. Documentos del National Archives & Records Administration (NARA) sobre el oficial de las SS Guido Zimmer prueban que las tratativas para lograr la paz entre los aliados occidentales y nazis comenzaron en noviembre de 1944, utilizando como intermediario el barón italiano Luigi Parrilli, a la sazón representante de las compañías Kelvinator y Nash.

Cuando las gestiones de Dulles en Italia y luego en Suiza llegaron a oídos de los soviéticos, Stalin protestó violentamente. A punto estuvo de disolverse anticipadamente la frágil alianza entre soviéticos y occidentales para enfrentar a Hitler, hecho que demuestra la importancia de la operación, denominada Sunrise por los americanos y Crossword por los británicos, cuyo primer ministro, Winston Churchill le dedicó considerable espacio en su trabajo *La Segunda Guerra Mundial*.[5]

"El 21 de marzo se ordenó al embajador británico en Moscú [sir Archibald Clark Kerr] que informara al gobierno soviético, una vez más, que el único objeto de la reunión era asegurarse de si tenían los alemanes facultades para negociar una rendición militar, y en tal caso, invitar a los delegados rusos al cuartel aliado de Caserta. Así lo hizo.

"Al día siguiente Molotov le entregó una respuesta escrita que contenía las siguientes expresiones: 'En Berna,

5 Buenos Aires, Peuser, 1960.

durante dos semanas, a espaldas de la Unión Soviética que soporta el peso principal de la guerra contra Alemania, se han estado celebrando negociaciones entre representantes del comando militar alemán por un lado y representantes de los comandos inglés y norteamericano por el otro'.

"Sir Archibald Clark Kerr explicó naturalmente que los Soviets habían interpretado erróneamente lo ocurrido y que tales 'negociaciones' no eran más que una tentativa para someter a prueba credenciales y facultades del general ss Karl Wolff. Lo que contestó Molotov fue algo sin ambages e insultante: 'En este caso –manifestó– el gobierno soviético no ve una desinteligencia, sino algo peor'.

"Atacó a los norteamericanos con la misma acritud. Frente a una acusación tan asombrosa me pareció mejor callar que entablar una disputa de injurias. El 24 de marzo le escribí al señor Eden:

"'Del Primer Ministro al Ministerio de Relaciones Exteriores:

"24 de marzo de 1945:

"Por el momento estas negociaciones se han abandonado. Pueden reabrirse en una zona mucho más vital que Italia [se estaban realizando negociaciones a través del conde Folke-Bernadotte por todo el norte europeo]. En esto se entrelazarán cuestiones militares y políticas. Quizá los rusos abriguen *un legítimo temor* de que hagamos un trato en el Oeste para mantenerlos a ellos bien lejos en el Este. En conjunto convendrá no enviar respuesta [a Molotov, el canciller soviético] hasta que hayamos verificado informaciones con Washington, a quien debe repetirle usted el mensaje ruso.'"

Máxima importancia

Las tratativas ofrecen aristas que no pueden soslayarse: en primer término los nazis no buscaban salvar al Tercer Reich de los soviéticos, sino a la camarilla gobernante que había causado el desastre. Hacia la última semana de abril de 1945 Alemania estaba totalmente ocupada, siguiendo límites muy aproximados a la posterior división entre la República Federal Alemana, ocupada por los aliados occidentales, y la República Democrática Alemana, por los soviéticos. Dadas las circunstancias la cúpula de criminales nazis, con Hitler a la cabeza, tenía dos objetivos prioritarios: en primer lugar, garantizarse un buen exilio, y en segundo –para salvar su honor de ser posible–, desalojar a los soviéticos de los territorios alemanes conquistados, para lo cual necesitaban conquistar la voluntad tanto del Reino Unido como de los Estados Unidos.

Por diversas y complejas circunstancias políticas el segundo objetivo no pudo cumplirse de inmediato, ya que la guerra con Japón continuaba y un ataque de la alianza occidental contra los soviéticos habría complicado mucho el Frente Oriental. Se pensaba entonces que la guerra contra el Japón imperial duraría años. Hoy puede vislumbrarse con claridad que simplemente se pospuso el enfrentamiento Este-Oeste para una mejor oportunidad, pero la presión nazi fue

muy fuerte, aunque la pérdida del territorio alemán
pareciera demostrar lo contrario.

Cabe preguntarse entonces con qué enigmáticas cartas
jugaba la cúpula del nazismo para estar en condiciones de
pactar su suerte y huir sin asumir las responsabilidades
por los crímenes cometidos. Berlín estaba cercada, pero
lo que se denominaba "el reducto alpino" y las fuerzas
del norte de Italia estaban equipadas como para ofrecer
resistencia durante meses. No se podía bombardear ma-
sivamente ya que civiles italianos morirían por millares.
Si los alemanes pactaban con los rusos, éstos ocuparían
Italia sin demasiados contratiempos. De hecho, gran
parte de la población italiana simpatizaba con el Partido
Comunista Italiano. Y a través de acuerdos con Yugoslavia –ya lo habían hecho durante la guerra para defender
Belgrado–, los soviéticos podrían obtener el control del ar-
co norte del Adriático. La caída de Italia podría significar,
sin dudas, la caída de Europa en manos de los comunistas,
provocando una hecatombe en Europa.

Si los nazis pactaban en cambio con los Aliados occidentales, Italia no sólo quedaría en el bloque capitalis-
ta sino que ofrecería bases aéreas y marítimas de importancia estratégica mayor al permitir el control, desde las
costas del Adriático, de un eventual avance ruso sobre
Yugoslavia, Albania, Turquía o Grecia. De ese modo
las negociaciones de Allen Dulles revestían una importancia crucial, tanto como para que se analizara la posibilidad de romper la alianza con Stalin.

Una situación similar presentaba el norte de Europa:
las tropas nazis acantonadas en Dinamarca y Noruega

podrían resistir aún durante varios meses. En tal circunstancia, un acuerdo con los rusos les proporcionaría territorios y bases en cualquiera de esos países, o dicho de otra manera, la Unión Soviética lograría una salida directa al Atlántico Norte, ambicionada desde siempre y reclamada ante cada oportunidad.[6]

6 Al respecto, Winston Churchill menciona en su obra citada una carta que le envió el ministro de Relaciones Exteriores Anthony Eden el 21 de abril de 1945: "Comparto enérgicamente la opinión de que Montgomery debe tomar Lübeck. Que Rusia ocupara Dinamarca provocaría gran embarazo. Los temores de los países escandinavos aumentarían mucho y me parece recordar que una de las causas de disensión entre los rusos y los alemanes durante su luna de miel, en 1940, surgió de ciertas demandas rusas sobre el control del Kattegat".

También Folke-Bernadotte en su libro *El final* hace referencia al espinoso asunto del Kattegat, obteniendo la información de primera mano, es decir del canciller alemán Von Ribbentrop: "Empero, según Von Ribbentrop, ése no fue el hecho decisivo que obligó sin remisión a los dirigentes alemanes a declarar la guerra a Rusia, sino una conversación que él mismo había tenido con Molotov durante la visita realizada por este último a la capital del Reich, cuando se habían visto obligados a acudir al amparo de un refugio subterráneo, a raíz del bombardeo que tuvo lugar mientras se celebraba un banquete en honor del comisario soviético. Obligados por las desfavorables circunstancias hubieron de permanecer durante varias horas en el refugio antiaéreo, horas que fueron empleadas por Molotov para solicitar en forma insistente bases en ciertos puntos del Skagerrak y Kattegat [Dinamarca]". En efecto, para el logro de tan importante objetivo Josef Stalin tomó una serie de decisiones que tanto desde el punto de vista militar como estratégico resultaron desastrosas. En primer lugar cabe mencionar la invasión a Finlandia. Luego, la solicitud a los nazis de bases e islas de la Dinamarca invadida y, finalmente, la invasión de Alemania.

Con estas cartas jugaban los nazis en sus últimas horas, rogando por un salvoconducto. Eran las "joyas de la corona" con las que Hitler podía pactar aún su suerte y la de los criminales que lo rodeaban.[7]

El conde Folke-Bernadotte

El 20 de abril el *Führer* renunció al comando en jefe de las fuerzas armadas y nombró al almirante Karl Dönitz jefe del Frente Norte, con comando en la ciudad de Plön, y al mariscal de campo Kesselring en el Frente Sur, con cuartel general en la fortaleza de Berchtesgaden. Dividía así en dos un Reich inexistente con el claro propósito de abrir frentes de negociaciones de modo de no ofrecer todo un paquete –la rendición total– sino en partes, situación que le permitiría, de fracasar alguna, continuar con otras.

En el sur pactaba Dulles la rendición de las fuerzas del norte de Italia, y el norte de Europa sería el área de influencia de negociación de Folke-Bernadotte. Había de todas formas infinidad de puntos en discusión con excepción de uno: Hitler debería dejar la escena tras bambalinas.

El conde sueco había nacido en Estocolmo el 2 de enero de 1895. Era descendiente del mariscal del ejército de Napoleón Bonaparte Jean Bernadotte. En 1810

---

7 Y la de su aliado político Benito Mussolini, cuya República de Saló dominaba con el ejército acantonado al norte de Italia.

Jean Bernadotte fue coronado príncipe de Suecia, y en 1818 sucedió en el trono a Carlos XIV. El conde era además nieto del rey Oscar II de Suecia, sobrino del rey Gustavo V y oficial de Caballería en el Royal Horse Guards. El 1 de diciembre de 1928 se casó con la neoyorquina Estelle Romaine Mainville. Representó a Suecia en varios eventos, pero la ocasión de intervenir en asuntos vinculados con la Segunda Guerra Mundial se produjo a raíz de su presidencia de la Cruz Roja sueca.

Según la *Enciclopedia Americana* y el trabajo de Ralph Hewins,[8] murió asesinado en Jerusalén el 17 de septiembre de 1948 –junto al coronel Andre P. Serot–, por el grupo extremista sionista Stern, aunque otras versiones difieren sobre este punto. Se encontraba en Palestina representando a las Naciones Unidas en un intento por lograr la paz entre árabes e israelíes.

Folke-Bernadotte hablaba con total fluidez varios idiomas, circunstancia que le permitía mediar entre alemanes, británicos y estadounidenses cuando pilotos o militares eran capturados por uno u otro bando. Esa posición le posibilitó más tarde el acceso recurrente a Heinrich Himmler, jefe de la Gestapo y de todos los organismos de seguridad alemanes. Era, posiblemente, después de Hitler, el personaje con más poder del Reich.

A raíz de las múltiples acusaciones que recibió después de la guerra, el conde se vio forzado a escribir *El Final*, libro donde brinda pormenores de sus actividades

---

8 *Count Folke Bernadotte: His Life and Work*, Londres, 1950.

secretas.[9] En esos momentos estaba bajo fuego cruzado: se le imputaba desde haber sacado de Alemania en aviones de la Cruz Roja a la cúpula nazi, hasta la tramitación de pasaportes de la Cruz Roja a favor de criminales de guerra.[10]

No tuvo voluntad de escribir *El final*. Tal como confiesa en el prólogo, lo hizo "no sin muchas vacilaciones y a pedido de amigos"; y también, "no hay que creer que tal decisión haya sido cosa sencilla para mí, y aun después de tomarla no dejé de experimentar grandes dudas". En cualquier caso, el texto constituye uno de los principales documentos sobre los últimos días del Tercer Reich, expone cuestiones virtualmente desconocidas y extraordinarias sobre los pactos que se llevaban a cabo para la fuga de nazis.

Suecia se había mantenido neutral en la guerra, con lo cual disponía de medios para movilizar camiones, ómnibus y todo tipo de vehículos. Valiéndose de esos recursos y de sus posteriores contactos con Himmler, Folke-Bernadotte logró salvar a miles de escandinavos de una muerte segura en campos de concentración.

Relata Bernadotte que para conseguir una entrevista con Himmler, dueño y señor de la vida de todos los prisioneros, tuvo que reunirse el 17 de febrero de 1945, en Berlín, con el segundo de la Gestapo, el *Obergruppenführer*

9 Buenos Aires, Emecé, 1945.

10 Por el momento no se ha logrado, pero la Cruz Roja de Suecia debería informar al mundo sobre a quiénes extendió pasaportes y pases durante abril y mayo de 1945.

Kaltenbrunner, y con el *Brigadeführer* Schellenberg. Luego de esa reunión, donde el conde planteó a Kaltenbrunner su intención de rescatar escandinavos de los campos de concentración, fue invitado a dirigirse al ministerio de Relaciones Exteriores, Joaquim von Ribbentrop: "A las pocas horas de haber yo pisado la tierra de la capital alemana, se me comunicó que el muy poderoso canciller del Tercer Reich estaba sumamente interesado en conocer los motivos de mi gentil visita y en poseer la clave que lo conduciría a averiguar el secreto por el cual me hallaba yo tan empeñado en conferenciar con Himmler. El secreto de Polichinela del III Reich era la enemistad del muy poderoso jefe de la Gestapo hacia el quizás no menos poderoso ministro de Relaciones Exteriores".

Folke-Bernadotte mantuvo luego varias entrevistas más con Von Ribbentrop, en unas de las cuales el canciller le expuso su teoría de que a Alemania le convenía pactar con los soviéticos: "Tomó por base sus anteriores opiniones para llegar a la conclusión de que, desde el punto de vista de Alemania, resultaba infinitamente mejor que el continente fuese ocupado por Rusia y no por los Aliados [del mismo modo pensaba Göbbels]. Esa nueva teoría se basaba en el hecho de que, según el criterio de Von Ribbentrop, en caso de un derrumbe en el Frente Este, o sea en la línea del Oder, a los germanos no les quedaba más remedio que arrojarse en brazos de los rusos, y lograr así el propósito de trasladar gran cantidad de divisiones al Frente Occidental en lugar de tener que capitular ante Gran Bretaña y los

Estados Unidos. (...) Era firme opinión de von Ribben-trop que si se unían las fuerzas de Rusia y Alemania nadie ni nada podía impedirles el completo dominio de Europa. De ahí que cierto número de alemanes que ocupaban cargos importantes me expresaran el temor que les infundía tal posibilidad".

Himmler en cambio prefería que Alemania pactara su rendición con los Aliados de Occidente. De manera que esos primeros encuentros del conde en procura de rescatar a sus compatriotas fueron tornándose con los días en negociaciones de alta política en las que Folke-Bernadotte se reservó un papel activo proponiendo una serie de pactos que desnudan los planes secretos para la fuga del *Führer*.

Continúa Bernadotte: "Y llegamos al punto en que se convirtieron en hermosa realidad mis esperanzas de obtener una audiencia con Himmler. Así, a las 17 del día memorable que el calendario marcaba como 19 de febrero, llegó Schellenberg a mi residencia para acompañarme hasta la presencia del jefe de la Gestapo. Para ello tuvimos que trasladarnos al gran lazareto de Hohen-Lüchen, que estaba situado a ciento veinte kilómetros de la capital del Reich. (...) [Himmler] Apareció en forma casi sorpresiva, con sus lentes de carey, llevando uniforme verde de la *Waffen-SS*, sencillo hasta el extremo de no lucir condecoración alguna; no puedo dejar de señalar que tuve la impresión de estar en la presencia de un funcionario insignificante. Hasta tal punto me impresionó que no me cabía la menor duda de que, de haberlo visto por la calle, no me habría atraído la atención, y con toda facilidad se habría perdido entre la multitud."

Las conversaciones prosperaron; Himmler cumplía su palabra de permitir el traslado, vía Cruz Roja de Suecia, de gran cantidad de prisioneros escandinavos desde campos de concentración alemanes hacia emplazamientos mucho más cómodos en Dinamarca. Pero el éxito de la misión, y de alguna manera la amistad lograda sobre la base de los pactos cumplidos, derivaron en el planteo de negociaciones más complejas: Himmler se había propuesto tomar el mando de lo que quedaba del Reich y se lo comunicó al conde a través de Schellenberg, "en virtud de la cual [de la propuesta] yo debía trasladarme al cuartel general aliado para conversar con Eisenhower. Aproveché la oportunidad para expresarle a Schellenberg sin ambages cuál era mi punto de vista con respecto a aquel viaje. Comencé por aconsejarle que debía desistir de su creencia y comprender que los aliados jamás accederían a tomar en cuenta a Himmler. No había duda de que el jefe de la SS, si tomaba las riendas de Alemania, sólo podía hacerlo durante un brevísimo período de transición. Después de éste, los aliados designarían a las autoridades de ocupación llamadas a ejercer el mando. Empero no dejé de reconocer que tal vez era Himmler la persona más indicada para tomar las riendas del gobierno y evitar el caos absoluto en Alemania, pero dentro de un período más o menos corto. [Las ideas de Bernadotte fueron aceptadas, pero con Karl Dönitz en reemplazo del impresentable Himmler]. A continuación, expuse mis condiciones. Le informé que estaba dispuesto a visitar a Eisenhower siempre y cuando se aceptaran los cuatro puntos siguientes:

"1°) Himmler debía declarar que, estando el *Führer* enfermo e imposibilitado de seguir rigiendo el destino de su pueblo, él tomaba en su nombre las riendas del gobierno.

"2°) Himmler debía proceder a la inmediata disolución del partido nazi y a declarar cesantes a todos los funcionarios que pertenecían al partido.

"3°) Himmler debía ordenar el inmediato cese de las actividades de los llamados licántropos. [Hombres Lobo, una organización terrorista nazi que actuaría cometiendo sabotajes y matanzas tras las líneas aliadas].

"4°) Debía, además, serme enviada una comunicación absolutamente fehaciente, al castillo de Friedrichsruh, en la cual se me diesen las seguridades de que se procedería al traslado de los prisioneros escandinavos a Suecia antes de emprender mi viaje al cuartel general aliado.

"Significaba, en realidad, el cumplimiento de las resoluciones por mí indicadas, ni más ni menos que una revolución en Alemania. Así tendría como resultado la destitución de Hitler por Himmler, la disolución del partido y, por ende, el final positivo del III Reich. Creía firmemente que semejante plan no podría ser jamás aprobado por Heinrich Himmler. A pesar de lo que yo le decía, Schellenberg se mantuvo firme en su actitud. Más aún, llevado por el deseo de salvar a su patria, llegó hasta a asegurarme que haría todo lo que estuviese a su alcance para convencer a Himmler. Me dijo que, de obtener resultado positivo, Himmler daría de inmediato la orden de evacuación de los campos de concentración de Bergen, Belsen y Buchenwald y que era probable que extendiese tales medidas al campo de Theresienstadt. (...) El 23 de abril se convirtió, pues, en un día memorable, puesto que el *Brigadierführer* Schellenberg me recibió con una noticia que para mí se asemejaba a una explosión: *Hitler era ya hombre al agua y lo más que podría vivir sería uno o dos días más. Cábeme señalar que el doctor Göbbels, fiel a su manera de actuar, difundió aquel mismo día que Hitler había llegado a la capital a fin de dirigir personalmente la defensa de Alemania.* [cursivas del autor]

"Schellenberg siguió suministrándome informes sobre la situación:

"Schellenberg: Himmler se ha propuesto concertar una entrevista con el generalísimo Eisenhower para hacerle saber que está dispuesto a permitir la capitulación de las tropas que luchaban en el Frente Occidental. ¿Está usted dispuesto a encargarse de la misión y ponerse al habla con Eisenhower?

"Bernadotte: Creo que sería sumamente conveniente que, antes de emprender ninguna acción, el señor Himmler diera a conocer al gobierno sueco sus deseos. De esa manera las autoridades de mi país podrían informar a los Aliados en caso de que el plan les pareciese factible. Pero hay otra cosa que debemos establecer previamente; tenga usted por seguro que no daré un paso para comunicar los propósitos de *Herr* Himmler a las autoridades de mi patria si no tengo previamente la seguridad de que se efectuará también la capitulación de las fuerzas alemanas situadas en Noruega y Dinamarca. (...) Decididos a proceder con la mayor rapidez y obligados por las circunstancias, nos pusimos al habla telefónicamente con Himmler y resolvimos encontrarnos aquella misma noche, es decir, del 23 al 24 de abril, en Lübeck. Jamás podré olvidar aquel encuentro que revestía caracteres fantasmagóricos. Himmler se presentó a las 23.30 a la *Dienststalle*, oficina auxiliar de la Legación de Suecia en la ya nombrada ciudad. Simultáneamente con él las sirenas aullaron su grito de alarma. No cabía duda: otro bombardeo aliado. Ofrecí a Himmler que descendiéramos al refugio de la casa, pero me previno que ahí no estaríamos solos y que, por lo tanto, no podríamos conversar, ya que era desde todo punto de vista imposible impedir que otros se acogieran a la seguridad relativa del refugio. Por fin llegué a decidirlo, luego de haberlo obligado a vencer sus vacilaciones. Junto a nosotros había en el refugio un pequeño grupo de alemanes y suecos. Himmler se apresuró a saludar a sus compatriotas y a preguntarles por su salud (se veía con evidencia que deseaba auscultar el ambiente popular). Con esa facilidad suya de pasar inadvertido no me fue difícil comprender que nadie reconoció al muy poderoso jefe de la Gestapo. (...) El jefe de la Gestapo empezó la conversación sin preámbulo alguno y declaró: 'Es probable que a estas horas el *Führer* Adolf Hitler no se encuentre ya en el reino de los vivos; de no ser así, morirá dentro de unos pocos días'. (...) Himmler siguió analizando la situación. ¿Qué sucedería? En primer término atacó el problema central, que no era solamente importante para el continente europeo, sino para el orbe entero. Sin abandonar ni en aquellas circunstancias, trágicas para él, su tono habitual, señaló la importancia de la creación de mitos y leyendas. A su entender, la gente comenzaría pronto a hablar y tejer suposiciones. Las versiones que circularían tendrían la misma magnitud que la que se convirtió en creencia popular, después del tratado de Versailles. Se refería a la famosa 'puñalada por la espalda'.[11] En opinión del señor Himmler, todo dependería del modo en que los Aliados tratasen a los alemanes. Si los Aliados decidieran tratar a los alemanes con excesivo rigor, no le cabía la menor duda de que al cabo de cierto tiempo el *Führer* se convertiría en el héroe nacional máximo... sólo comparable al más grande de los héroes populares germanos."

Himmler arriesgó durante la conversación una versión heroica de la muerte de Hitler: "Llegado el gran momento de prueba para su pueblo, [Hitler] no dudó ni un instante y murió como un héroe en las barricadas del cercado Berlín".

---

11 La "puñalada por la espalda" fue un ejemplo más de manipulación histórica perpetrada por los nazis. Afirmaba que en 1918 Alemania había sido traicionada por los socialistas y luego por los miembros de la República de Weimar por no haber querido continuar la guerra. En realidad Reich Lüdendorff, comandante en jefe de las fuerzas germanas, había entrado en pánico cuando comprendió que estaba completamente derrotado y que los Aliados comenzaban a penetrar en terreno alemán. Solicitó un armisticio y luego huyó, dejando tras de sí un desastre militar, luego aprovechado por el nazismo.

Esas palabras evidencian que no sólo discutieron cómo fraguar su muerte, sino también cómo presentarla en público. Si se hubiera planeado una muerte real, la principal actividad de los complotados tendría que haber sido necesariamente la preservación intacta del cadáver para presentarlo a los Aliados, como prueba única y terminante de la muerte. Sin embargo, queda claro que durante estas reuniones jamás se consideró la posibilidad de asesinar a Hitler sino de su "desaparición", y de la manera en que esa "desaparición" debía ser presentada al mundo, así como la manipulación de los mitos y leyendas que se crearían alrededor de esa "desaparición".

Si bien ni Himmler ni Bernadotte son explícitos, tales afirmaciones expresadas en la medianoche del 23 de abril permiten discernir, entre líneas, que Himmler y Bernadotte estaban seguros de que, tras la "muerte", el cadáver no aparecería.

Estas revelaciones, en boca de Folke-Bernadotte, no admiten otra interpretación posible que la exigencia de Himmler para que el conde emitiera la documentación pertinente y que dispusiera los medios necesarios para colaborar con la desaparición de Hitler de Berlín, si en verdad deseaba la liberación y el traslado de todos los escandinavos detenidos en campos de concentración.

Desapareciendo en Berlín

Intentó salvar, y de hecho lo hizo, a miles de compatriotas escandinavos. Pero para hacerlo debió planear y ejecutar la fuga de la camarilla nazi. Como compensación obtendría además la rendición de los poderosos ejércitos nazis del norte de Alemania, Dinamarca y Noruega.

Los puntos clave para el acuerdo fueron:

-La desaparición de Hitler, que se fugaría con rumbo aún desconocido.

-Su reemplazo por el jefe de la Gestapo Heinrich Himmler.

-Desmitificación de la figura de Hitler, presentando a la opinión pública mundial una muerte deshonrosa.[12]

-Firma de la rendición incondicional de Alemania, que en tiempo y forma resultara favorable a los Aliados occidentales contra las pretensiones soviéticas.

Estuvo por conseguir su objetivo, ya que su plan había sido aprobado por los Aliados, a espaldas de los soviéticos. La fuga de Hitler era un hecho menor

---

12 Sobre ese punto Himmler y el conde disentían, pues el SS pretendía la versión de una muerte gloriosa, heroica, una muerte que permitiera la fácil mitificación del *Führer*. Bernadotte sostenía en cambio una variante deshonrosa. Escribió: "Es de vital importancia que el pueblo alemán conozca la siguiente verdad: nada hubo de heroico en la muerte del hombre que endiosaron. Aquellos que esparcieron los relatos de su heroísmo y muerte final buscaron sólo la creación de un mito. Hitler tuvo la muerte que merecía, la de un cobarde como toda su camarilla de secuaces en aquellos días de desintegración del poderoso Reich que creyeron crear. (...) Según mis cálculos, creo que el *Führer* murió el 27 de abril. Nadie me quitará el convencimiento de que alguna persona le aplicó una inyección mortal; empero debo admitir que ni siquiera podría hacer la más leve insinuación acerca de la identidad de la persona que cumplió tan penoso menester".

comparado con las ventajas que lograba Occidente: Stalin no obtendría su salida libre ni al Atlántico por el norte ni al Mediterráneo.[13]

Pero Allen Dulles seguía moviéndose por el sur. El plan de Folke-Bernadotte, incluida la desaparición de Hitler, no era malo, de modo que Dulles lo recogió pero por decisión propia y por la fuerza de los hechos cambió al impresentable Himmler por la figura un poco más aceptable de Karl Dönitz.

Es cierto que Folke-Bernadotte podría haber sacado a Hitler de Berlín sin mayores dificultades: está documentado, y el conde lo confirma en *El final*, que estuvo entrando y saliendo de la ciudad sitiada después del 20 de abril, tanto en auto como en aviones de la Cruz Roja sueca, pintados de blanco y con cartas de libre circulación. Cabe señalar que para entonces los rusos rodeaban Berlín, es decir que los soviéticos aceptaban como válido el salvoconducto de la Cruz Roja sueca. Sin embargo, el conde había dejado de ser útil para esos propósitos porque sus actividades se habían filtrado y habían sido difundidas por los medios. Dice Folke-Bernadotte: "Al día siguiente, es decir, el 28 de abril, me hallaba por la tarde escuchando una trasmisión de la emisora

---

13 Sin embargo, quedaba por resolver un aspecto crucial. Ningún mando nazi cargaría sobre sus espaldas la rendición del Frente Este, que luchaba encarnizadamente a los soviéticos. Sabían que la rendición significaría la muerte de la mayoría, por fusilamiento o como prisioneros de guerra en campos de concentración soviéticos.

Atlantic Sender, cuyo locutor comentaba las noticias más recientes. De pronto me sentí terriblemente sorprendido al oír que pronunciaba mi nombre. Inmediatamente dio una noticia que decía emanada de Londres y Nueva York según la cual se daba cuenta de una conferencia entre Himmler, jefe de la Gestapo, y yo, a fin de tratar los detalles del problema de la capitulación alemana ante las tropas aliadas. Al escuchar semejante noticia, mi primera reacción fue de tristeza y desaliento; imaginé que todo estaba perdido y que ya no existían posibilidades de continuar nuestras negociaciones. Empero, a decir verdad, la publicidad algo prematura que a la sazón se dio a mis entrevistas se tornó un factor de valores positivos. De tal modo se consiguió la anulación de un propósito importantísimo. Fácil es darse cuenta de que, de no haberse hecho todo ese ruido alrededor de los propósitos de capitulación del señor Himmler, designado por el *Führer* para reemplazarlo en caso de necesidad, el jefe de la Gestapo habría sustituido a Hitler. Pero tan pronto como se hizo público el deseo de capitulación, el plan inicial fue instantáneamente modificado y el jefe de la Gestapo fue reemplazado por el almirante Dönitz."

Efectivamente, el plan inicial pergeñado por Folke-Bernadotte fue modificado por Hitler de acuerdo con los aliados. El conde desconocía que el 24 de abril, por orden de Himmler y Hitler, el general ss Karl Wolff ya había presentado la rendición firmada. Himmler intentó que su figura fuera aceptada por los aliados, pero el rechazo general derivó en que el *Führer* nombrara a un marino, ajeno en principio a los campos de la muerte y otros crímenes de guerra. Así, nombró a Karl Dönitz como su sucesor, encargado de transmitir al mundo la noticia de la muerte de Hitler.[14]

14 Es evidente que la muerte del presidente Roosevelt el 12 de abril causó gran embarazo en momentos tan decisivos. Como las decisiones estratégicas eran tomadas por el presidente en persona, la acefalía transitoria –hasta que Truman pudo ponerse al día sobre las complejas cuestiones que se estaban manejando– provocó trastornos en las negociaciones, pues sus gestores aliados quedaron huérfanos de instrucciones, tal como recuerda Churchill. Esa situación explica que mientras que la rendición de Alemania estaba firmada desde el 24 de abril, debió transcurrir una semana hasta que entró en vigencia. Al dividir los restos del Tercer Reich en la zona Norte y Sur, Hitler determinó que Heinrich Himmler, jefe absoluto de las SS, fuera el contacto en el Norte, luego reemplazado por el almirante Karl Dönitz, mientras que las operaciones secretas del Sur serían establecidas a través del mariscal Kesselring y posteriormente por el representante de Himmler, el general SS Karl Wolff. Por parte de los aliados actuarían el conde sueco Folke-Bernadotte y el jefe de la OSS Allen Dulles. Por otro lado, en lugares como Italia, donde el Partido Comunista Italiano (PCI) era muy poderoso, los alemanes no podían bajar las armas sin perjuicio de resultar asesinados por los partisanos. Todo debía hacerse en un máximo de orden para que el acuerdo nazi-aliados occidentales tuviera el resultado buscado, y no el contrario. Así, la conducción de los pactos secretos no fue monolítica, por la acefalía que la muerte de Roosevelt transitoriamente había provocado y por el vacío de poder del derrumbe nazi. De todas formas, se aceptaron las propuestas de Bernadotte en todo su espíritu, exceptuando el cambio de Himmler por Dönitz, mucho más correcto desde el punto de vista político. Mientras

El 1° de mayo de 1945 a las 22.20 el almirante anunció a través de Radio Hamburgo que el *Führer* había muerto heroicamente –"a la cabeza de los heroicos defensores de la capital del Reich"– y especificó que luchaba contra "las hordas rojas", no contra los Aliados.

Como reconoce en sus memorias,[15] en realidad Dönitz *dedujo* la muerte de Hitler del contenido de un radiograma emitido ese mismo día desde la Cancillería del Reich: "El 1° de mayo, por la mañana, llegó un segundo radiograma de la Cancillería del Reich, en Berlín, que había sido expedido allí a las 7.40 horas. Decía: 'FRR Gran Almirante Dönitz. (Ultrasecreto) Testamento en vigor. Iré a verle tan pronto sea posible. Hasta tanto no lo haga público. Bormann'. (...) De la frase del segundo radiograma 'testamento en vigor' [que en realidad significaba 'acuerdo en vigor', un ejercicio de voluntad política de alguien que se exilia o abandona el poder] sólo pude inferir que Hitler no se encontraba con vida. De su suicidio no sabía nada. Por el conocimiento que tenía de su personalidad no me era posible creer que hubiese procedido así, sino que *suponía* que había buscado la

---

que el proceso complejo de rendición fue tan temprano como el 24 de abril de 1945, el complicado proceso de la desmovilización de las tropas fue guiado por Dönitz desde Flensburg, hasta que la presión política y militar de los soviéticos determinó el final de su mandato cuando la ocupación de Alemania era total y cuando no había ya focos de resistencia.

15 *Diez años y veinte días*, Barcelona, Luis de Caralt, 1959.

muerte en los combates de Berlín, y que la había hallado. Una concepción honrosa de cómo había sido su muerte *me pareció la más acertada para transmitirle al pueblo. Arremeter contra él inmediatamente después de su muerte, como era la opinión reinante en parte de los ambientes que me rodeaban, lo consideré de bastante mal gusto. Precisamente esta tendencia hizo que me inclinara más a dar a conocer la noticia de una forma favorable a Hitler.*"

De manera que Dönitz empleó la fórmula que Himmler había discutido e intentaba imponer a Folke-Bernadotte una semana antes, exactamente la noche del 23 de abril de 1945, en el sótano de la Legación de Suecia en Lübeck. Sin embargo, en cuanto Radio Hamburgo dio la noticia, la agencia soviética TASS afirmó que se trataba de "una treta fascista" que intentaba "dar al *Führer* los medios para abandonar la escena y retirarse detrás de bastidores", la Cancillería británica dijo que "la muerte heroica de Hitler durante la defensa de Berlín" era "una tontería", mientras que *The New York Times* tituló "Hitler muerto en la Cancillería, dicen los nazis".

Pero, además, cuenta Dönitz que "A las 15.18 horas recibí en Plön un tercero y último radiograma de la Cancillería del Reich que había sido expedido desde dicho lugar a las 14.46 horas: 'FRR Gran Almirante Dönitz (ultrasecreto). A transmitir por Oficiales. El *Führer* se despidió ayer, 15.30 horas. Testamento 29-4 cede a usted el cargo de Presidente del Reich; al ministro Göbbels, el de Canciller; al jefe Bormann, el de ministro del Partido. Confirmar recepción. Göbbels-Bormann'".

Claramente el término empleado no es el mentado suicidio con hoguera posterior, sino simplemente "se despidió". Despedirse significa en castellano "saludar antes de partir en viaje" y no "se suicidó". Lo cierto es que la falta de los cadáveres impide saber qué sucedió efectivamente con Hitler y la camarilla nazi dominante. Existen al respecto posiciones controvertidas.

El Reino Unido dio su versión oficial a través de Hugh Trevor-Roper. En su libro *Los últimos días de Hitler* noveló el suicidio en el *bunker*, versión que hoy es aceptada por cierta por gran parte de la opinión pública ya que se arbitraron los medios económicos para que así sucediera. En la actualidad se sabe que las directivas para la generación de esta historia oficial fueron impartidas por el brigadier Dick White, quien comandaba el *Intelligence Bureau* en la época en que la muerte de Hitler continuaba siendo un misterio. El mariscal de la *Royal Air Force* Lord Tedder, delegado británico en el Mando Supremo de las Fuerzas Expedicionarias Aliadas, confirmó oficialmente que Trevor-Roper era miembro del *Intelligence Bureau* británico.

Norteamericanos y soviéticos, en cambio, estaban íntimamente convencidos de otra cosa: Harry Hopkins había sido delegado por Roosevelt, ya muy enfermo, como coordinador en Moscú de los preparativos de la Conferencia de Potsdam. Durante esas gestiones se reunió con Stalin, cuyas tropas habían tomado la Cancillería del Reich. El 25 de mayo "El señor Hopkins dijo que confiaba en que los rusos pudieran encontrar el cadáver de Hitler. El mariscal Stalin repuso que, en su opinión,

Hitler no había muerto, sino que se hallaba oculto en algún sitio. Manifestó que los médicos soviéticos creían haber identificado los cadáveres de Göbbels y de su chofer, pero que él, personalmente, dudaba incluso de la muerte de Göbbels. Todo el asunto le parecía extraño y las historias referentes a enterramientos y exequias fúnebres, muy dudosas. Dijo que, a su juicio, Bormann, Göbbels, Hitler y probablemente Krebs habían escapado y estaban escondidos. El señor Hopkins dijo que ya sabía que los alemanes tenían submarinos muy grandes, pero que no se habían localizado huellas de ninguno."

También a Stalin lo preocupaban los submarinos: "El mariscal Stalin respondió que también a él le constaba que aquellos submarinos habían ido y venido entre Alemania y el Japón, transportando al Japón, desde Alemania, oro y valores negociables. Agregó que ello se había realizado con la connivencia de Suiza. Dijo que había ordenado a su servicio secreto investigar el asunto de esos submarinos, pero que hasta entonces no se había podido encontrar rastro alguno de ellos de manera que pensaba que Hitler y compañía podían haberlos usado para trasladarse a Japón".[16]

Pero el 17 de julio, el mismo día de inicio de la Conferencia de Potsdam –y tras la llegada inesperada del U-530 a Mar del Plata el 10 de julio–, Stalin había acotado su

16 Robert Sherwood, *E. Roosevelt y Harry Hopkins, Una historia íntima. La eminencia gris de la Casa Blanca*, Barcelona, Los libros de Nuestro Tiempo, 1950.

perspectiva y les dijo al presidente Harry Truman –que acababa de asumir tras el fallecimiento de Roosevelt– y a su colaborador James Byrnes, que Hitler y su camarilla habían huido en submarinos "rumbo a la Argentina o a España".[17]

No hay discrepancias entre norteamericanos y soviéticos en cuanto a que la fuga se efectuó utilizando sumergibles de tipo oceánico, ni que éstos eran comandados por Karl Dönitz desde Flensburg, como Almirante de la Flota. Los sumergibles sobre los que recae mayor sospecha son el U-530 que, comandado por Otto Wermuth, se entregó en Mar del Plata el 10 de julio de 1945, y el U-977, que en el mismo puerto se rindió el 17 de agosto al mando de Heinz Schäffer. Ambos formarían parte de una flotilla más grande, hundida con posterioridad en costas patagónicas, aunque, a pesar de los múltiples indicios y testimonios de avistamientos en aquellos días, no se han encontrado hasta la fecha sus restos.

El episodio que confirma el encubrimiento y las sospechas sobre esos submarinos es el incontrovertible hundimiento del crucero brasileño *Bahía*, torpedeado

---

17 James Byrnes, *Speaking Frankly*, New York, Harper and Brothers, 1947. Al respecto es pública la documentación del National Archives and Records Administration (NARA) de los Estados Unidos. Deben solicitarse los archivos correspondientes a la Conferencia de Potsdam. Son también de inapreciable valor los documentos correspondientes a las operaciones *Sunrise* –*Crossword* para los británicos– y *Paperclip*. Véase además Michael Beschloss, *The Conquerors: Roosevelt, Truman and the Destruction of Hitler's Germany 1941-1945*, Nueva York, Simon & Schuster, 2002.

por el U-977 el 4 de julio de 1945 en pleno Atlántico, cuando la guerra en Europa había finalizado meses antes. Los Estados Unidos reconocieron que perdieron tres marinos en esa acción, aunque inicialmente la versión oficial sostuvo que el crucero se había hundido por un accidente ocurrido en la cubierta del barco. Por otra parte, la documentación incautada por la República Argentina tras la rendición de los sumergibles misteriosamente se extravió.[18]

Fuga en Berlín

Mientras las conversaciones avanzaban, Hitler ordenó que Hanna Reitsch y el general von Greim se presentaran en Berlín. Cuenta Hanna Reitsch: "Allí me llegó el 25 de abril un mensaje del general von Greim [su novio] que me pedía que fuera inmediatamente a Munich para llevar a cabo una misión secreta. En el viaje me enteré de que von Greim había recibido por radio la orden de ir inmediatamente a la Cancillería del Reich, donde se encontraba Adolf Hitler. *Como él sabía que Berlín estaba totalmente rodeada por los rusos, y tropas rusas ya estaban en la ciudad*, él pensaba que podría llegar a la Cancillería lo más rápidamente posible con un helicóptero. Se acordaba de mis sistemáticos vuelos de entrenamiento sobre la Berlín destruida, y sabía que me podía ubicar de cualquier manera sobre la

---

18 Cfr. Salinas y De Nápoli, ob.cit.

ciudad. Pero, según la situación general, yo tenía que contar que no íbamos a volver de este vuelo. Por eso pregunté primero a mis padres, que no dudaron en ningún momento en dar su aprobación".

Por cuestiones del destino, el helicóptero que buscaba la piloto había sido destruido en uno de los tantos ataques de la artillería y cohetería soviética, de manera que el plan debió cambiar sobre la marcha: "Llegamos a la conclusión de que lo único posible era volar a Berlín y aterrizar cerca de la puerta de Brandenburgo con un Fieseler Storch. El primer Storch que quisimos usar falló antes del despegue a causa de un impacto de artillería. Recién alrededor de las seis de la tarde, el segundo y único Storch que quedaba estaba listo. (...) Ahora me ayudaban mis vuelos de entrenamiento sobre Berlín. No tenía que mirar alrededor, cosa que en esa situación habría sido peligrosa. Bastaba seguir el rumbo de la brújula hasta la *Flakbunker*. A la izquierda de ésta estaba el Eje Este-Oeste con la columna de la Victoria. Muy cerca de la puerta de Brandenburgo aterricé el aparato. En el tanque no había más combustible".

Validando este testimonio, agrega Wilfred von Oven, ayudante de Göbbels:[19] "Repentinamente se escuchó el traqueteo del Fieseler Storch. Conocía muy bien el ruido de su motor, pero no era precisamente en ese tramo

---

19 Wilfred Von Oven, *Quién era Göbbels*, Buenos Aires, Editorial Revisión, 1988. Von Oven confió al director de cine "Rolo" Pereyra que el Fieseler Stoch pertenecía a la Cruz Roja sueca.

de la avenida donde aterrizaban Reitsch y Greim, sino más adelante, en la plazoleta frente a la puerta de Brandenburgo".

En cuanto llegó a la Cancillería, Reitsch se reunió con Hitler, que deambulaba por los túneles del *bunker* aturdido por la artillería soviética. Mientras tanto, Von Greim era atendido de una herida que había recibido en su pierna izquierda. Hitler alabó a su condecorada piloto por la valentía y partieron juntos a discutir los asuntos que habían requerido tan peligroso viaje. No puede saberse con certeza qué se dijeron ni qué pasó luego, ya que Hanna Reitsch eligió "llevarse el secreto a la tumba". Sin embargo, algunas circunstancias permitirán ir perfilando algunos sucesos. Por lo pronto, Von Oven menciona que el avión no había aterrizado en el lugar *habitual* sino "en la plazoleta frente a la puerta de Brandenburgo", lo cual presupone que Von Greim y Hanna Reitsch estaban yendo y viniendo a Berlín, volando hacia el norte ida y vuelta, por lo que no se trataba de un viaje único. En el mismo sentido se pronuncia Dönitz en *Diez años y veinte días*: "En aquellas horas vinieron a visitarme el mariscal Ritter von Greim y la señora Hanna Reitsch. Greim había venido volando, acompañado por la valerosa señora, para despedirse de mí. Traía un pie vendado y andaba con muletas. *En su último vuelo hacia Berlín* había resultado herido". No caben dudas entonces de que habían realizado varios viajes desde Berlín y, terminada la misión, se despedían del nuevo *Führer*. De la frase destacada vale concluir además que la ruta era Berlín-Flensburg, donde se encontraba Dönitz.

Pero más allá de las personas que estaban huyendo de la capital del Reich en cada viaje, también salían algunos documentos que demuestran que, además de los asuntos políticos que se dirimían en azarosas circunstancias, había motivos económicos muy poderosos para "desaparecer en Berlín". Por el interés documental y la fortuna cuantiosa que se esconde tras esta carta que debió transportar Hanna Reitsch consigo, se la trascribe íntegra:

Carta de Magda Göbbels a Harald Quandt [prisionero en Canadá] del 28 de abril de 1945. Escrita en el *bunker* del *Führer* el 28 de abril de 1945.[20]

"Mi querido hijo:

"Hace seis días que estamos aquí, en el *bunker* del *Führer*, papá, tus seis hermanos, y yo, para poner a nuestra vida nacionalsocialista el único fin posible y honroso. No sé si recibirás esta carta. Tal vez exista un alma humana que me permita enviarte un último adiós. Quiero que sepas que permanezco al lado de tu papá contra su voluntad y que este último domingo el *Führer* todavía quería ayudarme a salir de aquí. Ya conoces a tu madre: los dos llevamos la misma sangre, no tuve que pensarlo ni un momento. Nuestra magnífica idea se desmorona y, con ella, todo lo que en mi vida conocí de hermoso, admirable, noble y bueno. El mundo que vendrá después del *Führer* y del nacionalsocialismo no merece

---

20 Este documento figura como anexo en *Göbbels Diario* (del 28 de febrero al 10 de abril de 1945), Bogotá, Plaza y Janés, 1980.

que se quiera vivir en él. Por ello he traído conmigo a los niños. La vida que se avecina no es digna de que ellos la vivan y un Dios bondadoso ha de comprender que yo misma los libere. Tu vivirás, y sólo una cosa te pido: no olvides que eres alemán, nunca hagas nada contrario al honor y procura con tu vida que nuestra muerte no haya sido en vano.

"Los niños son estupendos. En estas circunstancias, más que primitivas, se cuidan solos. Si tienen que dormir en el suelo, si pueden lavarse, si pueden comer y qué es lo que comen: nunca una palabra de queja o un llanto. Las explosiones sacuden el *bunker*. Los mayores protegen a los pequeños y su presencia es ya una bendición, aunque sólo sea porque de vez en cuando hacen sonreír al *Führer*.

"Anoche el *Führer* se quitó su insignia de oro y me la prendió a mí. Estoy orgullosa y contenta. Quiera Dios darme fuerza para hacer lo último y más difícil. Sólo tenemos un objetivo: ser fieles al *Führer* hasta la muerte, y poder terminar nuestra vida con él es una gracia del destino con la que nunca nos atrevimos a contar.

"Harald, querido muchacho, te diré lo mejor que he aprendido en la vida: sé fiel. Fiel a ti mismo, fiel a los hombres y fiel a tu patria. En todos los aspectos.

"Es difícil empezar una nueva hoja. Quién sabe si podré llenarla, pero quisiera darte tanto amor y tanta fuerza y quitarte todo dolor por nuestra pérdida. Está orgulloso de nosotros y trata de recordarnos con orgullo y alegría. Todos tenemos que morir, ¿y no es más hermoso vivir menos pero con honor y valentía que tener una vida larga en condiciones vergonzosas?

"He de terminar... Hanna Reitsch se llevará esta carta. *Va a salir otra vez.* Te abrazo con mi más tierno, entrañable y maternal amor. ¡Querido hijo mío, vive para Alemania!

Tu Madre."[21]

21 María Magdalena Behrendt, Reitschel o Friedlander según las diferentes e interesadas versiones, esposa del ministro de Propaganda del Reich –y Comisionado para la Guerra Total– y más conocida como Magda Göbbels, era oficialmente primera dama del Tercer Reich, ya que Adolf Hitler era soltero. La carta que parece haber salido en complicado vuelo de Berlín aquellos días muestra a una madre desesperada, dispuesta a matar a sus hijos por un futuro que no merece vivirse, pero es falso que indefectiblemente los hijos de Göbbels murieran en el *bunker*. Los restos que, según se afirma, pertenecían a esa familia, no se encuentran disponibles para ser analizados. Los cuerpos quemados de un hombre y una mujer de rasgos similares a los Göbbels, junto a seis niños, dieron por sentado que se trataba de la familia del ministro de Propaganda, pero el inefable chofer de Hitler, Erich Kempka, sobre cuyas declaraciones se montó la historia del suicidio y hoguera posterior, declaró el 20 de mayo de 1945 en Berchtesgaden, ante el juez Hershechell, *que los niños habían salido de la Cancillería, sacados por su niñera, el 1° de mayo de 1945.* Desde el punto de vista político la huida de la familia Göbbels no quita ni agrega demasiado a los planes de fuga de Dulles, Himmler y el conde Folke-Bernadotte, pero despierta interés desde el punto de vista económico y financiero, ya que los descendientes de María Magdalena Behrendt constituyen hoy la familia más poderosa de Alemania y una de las más ricas del mundo. María Magdalena (Magda) Behrendt se había casado en

Jamás esta carta podría haber llegado a manos de Harald. La hábil señora Göbbels la escribió sabiendo que los Aliados la leerían, y que semejante documento no pasaría desapercibido. Debe advertirse que se trata

---

1921 con Günther Quandt, un industrial poco escrupuloso que había lucrado con el ejército imperial como proveedor textil. En el período de entreguerras pasó a controlar además la AG AFA –principal fabricante alemán de acumuladores para uso militar–, el consorcio BMW, y parte de Daimler AG. Si bien Magda se divorció de Quandt en 1929, la influencia en el gobierno nazi de la hermosa mujer –se rumoreaba que era amante del *Führer*– permitió que su ex marido se transformara en el primer proveedor del aparato militar, policial y paramilitar del Tercer Reich. Autos, aviones, mantas, elegantes uniformes militares y otros no tanto –rayados, para prisioneros de campos de concentración–, además de baterías para submarinos y otras minucias, constituían un lucrativo monopolio. Cuando Günther Quandt murió en 1954 en El Cairo, repentina y misteriosamente, como no podía ser de otra forma, su hijo Harald, el de la carta, y su hermanastro Herbert, heredaron alrededor de doscientas empresas entre las que se destacan el grupo automotriz BMW y la fábrica de pilas y baterías Varta; pero la familia Quandt también es propietaria del consorcio farmacéutico Altana, de compañías administradoras de fondos de inversión, cuenta con participaciones en numerosas empresas así como una impresionante cartera de propiedades en bienes raíces. Así, los descendientes de la primera dama del Tercer Reich controlan hoy buena parte de la economía de la Unión Europea. Todo parece indicar que el misterioso grupo de mujeres de apellido Quandt –no se dejan ver en público ni fotografiar, no aceptan entrevistas–, que maneja en la actualidad una fortuna superior a los 30.000 millones de euros, son aquellas pequeñas que Erich Kempka vio salir de la Cancillería el 1º de mayo de 1945. Motivos para escapar, no faltaban.

de un texto, cuanto menos, sospechoso. Pero quien lo acepte como legítimo debe reparar en la frase *"va a salir otra vez"*, refiriéndose a Hanna Reitsch. Si se valida al texto puede afirmarse entonces que, en coincidencia con el resto de los documentos mencionados, Reitsch entró y salió de Berlín un número indeterminado de veces entre el 26 y 28 de abril de 1945, sacando a la camarilla del atolladero en que se encontraba. Además de los dichos de Dönitz, en cuanto a que Greim y Reitsch lo habían visitado en Flensburg, existen más testimonios sobre los vuelos hacia el norte. Todo indica que "la misión *secreta* de la valiente mujer" –son palabras de Dönitz–, había finalizado con éxito.

Flensburg está situada al sur de la península de Jutlandia, cerca de la frontera con Dinamarca. Todo este sector, junto a Noruega, aún permanecía en manos de los nazis, y era el lugar hacia donde los prisioneros de los campos de concentración liberados por los pactos Himmler-Folke-Bernadotte se dirigían. Narra en tal sentido el conde Folke-Bernadotte: "A las tres de la madrugada me despertó el teléfono. Era el jefe local de la Gestapo de Flensburg, quien me informó que me hablaba por encargo del *Brigadeführer* Schellenberg, el cual necesitaba conversar conmigo de un asunto importante y urgente. Hube de manifestarle que me trasladaría de allí a poco a Flensburg, puesto que me había comprometido a visitar otro campo situado en Jutlandia y puesto a nuestra disposición por las autoridades locales para internar en ellos a los escandinavos evacuados de los campos de concentración alemanes. Así, pues, me reuní con Schellenberg a las quince de aquel mismo día." Es decir, aproximadamente una semana antes de que el nuevo *Führer* llegara a la ciudad.

Son muchas las cuestiones que pueden colegirse de estas acciones. Era frecuente que los nazis reunieran a centenares de civiles en ciertos puntos estratégicos para evitar bombardeos. Folke-Bernadotte cita al respecto una acción de ese tipo en el edificio de la Shell-Mex en Dinamarca, ocupado por la Gestapo. Leído entre líneas, el hecho de que los prisioneros escandinavos no fueran trasladados a Suecia, país neutral, muestra que fueron utilizados como reaseguro de los pactos que se estaban llevando a cabo. De tal forma, si los aviones que trasladaban a la camarilla en fuga tenían algún percance, es de presumir que los prisioneros, ahora rehenes, serían ultimados. La muerte de Benito Mussolini servía de advertencia, y seguramente obligó a los criminales en fuga a tomar medidas de seguridad adicionales.

El nexo

La suma de todos estos hechos e indicios –que se presentan por primera vez para su análisis–, adquieren mayor significado si se los vincula con la documentación disponible sobre las actividades que los nazis realizaron en la Argentina once años antes. Por entonces era habitual que emperadores o generales criminales como Lüdendorff o Guillermo II se exiliaran en cómodos parajes, casi siempre reductos reales dentro de Europa. Pero en 1934, Hanna Reitsch y un grupo de compañeros nada común romperían esa regla, pues un plan de fuga forzada o un exilio de Hitler en América del Sur había sido arreglado desde su misma llegada al poder en 1933.

El 14 de marzo de 1934 llegó a Buenos Aires una misión nazi a bordo del vapor *General Artigas* procedente del Brasil. Regresó a Alemania en el vapor *General San Martín* el 13 de abril del mismo año, luego de una serie de actividades relacionadas con vuelos en planeadores, récords mundiales y conversaciones secretas incluidas. 1934: "Presidía dicha misión –ya lo hemos dicho varias veces– el profesor Walter Giorgii –figura popularísima y altamente apreciada en nuestros círculos científicos y aeronáuticos–, que a los títulos inherentes a cargos deportivos y oficiales vinculados al vuelo sin motor, agregaba el de profesor de Meteorología Aeronáutica de la Universidad de Darmstadt.[22] Desempeñaba las funciones de ayudante el ingeniero Wilhelm Harth, mientras constituían el cuerpo de pilotos la señorita Hanna Reitsch –estudiante de medicina–, los ingenieros Wolf Hirth y Peter Riedel y el técnico Heinrich Dittmar. Mecánico de la misión lo era el técnico Richard Mihm. El material traído lo constituían planeadores

---

22 Walter Giorgii "arribó" a la Argentina después de la guerra: "En 1949 ya existía el Instituto de Rayos Cósmicos de la Universidad Nacional de Cuyo. (...) Las investigaciones de Rayos Cósmicos comenzaron bajo la dirección del doctor Juan Pinardi y continuaron a cargo del distinguido profesor alemán Walter Giorgii." El centro funcionó hasta 1955. Cfr. Enrique Oliva, *La Nación*, 30 de mayo de 2001.

Moazagoth, Fafnir y Cóndor correspondientes a la categoría Gran Perfomance y Christian (*Grunau Baby II*) de la categoría entrenamientos y acrobacia. (...) Marzo 22: P. Riedel, con el *Fafnir* va a descender en La Rinconada, o sea, a 135 kilómetros del punto de partida. W. Hirth, con el Moazagoth, lo hace en el campo Santa Elena de la S.A. La Martona; la señorita H. Reitsch, con el Christian, al par que obtiene el certificado máximo, desciende, como H. Dittmar con el Cóndor, en la estancia La Primavera, todos en las proximidades de Cañuelas."[23]

La estancia de Cañuelas no era un lugar cualquiera; era el centro de actividades políticas de la familia Bustillo.[24] Tras la reunión del 22 de marzo de 1934 entre Hanna Reitsch y los Bustillo se encadenó una serie de acontecimientos de suma importancia para el quehacer del nazismo en la Argentina, y que culminaría con los vuelos de Hanna desde la Cancillería del Reich en abril

---

[23] *Revista Nacional de Aeronáutica*, año XX, n° 214, Buenos Aires, enero-febrero de 1960.

[24] José María Bustillo, padre de Ezequiel, es decir, del personaje que importa en este relato, había nacido en Buenos Aires el 15 de agosto de 1884, era publicista, ingeniero agrónomo y estanciero. Como político fue secretario de la Municipalidad de Buenos Aires de 1910 a 1914, diputado Nacional entre 1928 y 1930, y de 1932 a 1936. De 1936 a 1940, en plena Década Infame, fue ministro de Obras Públicas de la Provincia de Buenos Aires, y de 1942 a 1946 presidió la Sociedad Rural Argentina. Cfr. Antonio F. Rizutto, *Diccionario Biográfico Contemporáneo*, *Personalidades de la Argentina*, Buenos Aires, Veritas, 1948.

de 1945. Cuenta Ezequiel Bustillo en *El despertar de Bariloche*[25] que en 1933, mientras se desempeñaba como vocal de la Comisión de Parques Nacionales, logró que el Senado aprobara, a través de la intervención de Sánchez Sorondo, la ley que regularía el funcionamiento de la Dirección de Parques Nacionales, de la que pronto sería presidente.[26]

Cuando alcanzó ese cargo logró que se encargara a su hermano Alejandro, que era arquitecto, la dirección de las obras que se realizarían en Bariloche: desde el famoso hotel, hasta el Centro Cívico.[27] La empresa constructora no podía ser otra que la Compañía General de Construcciones, de capitales nazis, de la que Ezequiel Bustillo dice: "Se dispuso pues, la licitación que felizmente fue de las pocas cosas que no dio trabajo. Se le adjudicó a la Cía. General de Construcciones, de gran solvencia moral y material, y cuyo precio resultó el más bajo. Ofrecía la ventaja también de estar construyendo los cuarteles de Bariloche."

25 Buenos Aires, Sudamericana, 1999.

26 La ley estaba trabada, y al respecto dice: "... el Senado estaba atascado con la interpelación del senador Mario Bravo sobre la compra de armamentos. Un debate de varios días con la intervención del Ministro de Guerra Manuel Rodríguez, que se destacó como un hombre de talento y gran parlamentario."

27 El edificio original del hotel se incendió, pues cuando encendieron sus hogares, diseñados en madera, la construcción se volvió cenizas. El actual Llao Llao es otro edificio.

Otras afirmaciones del libro de Ezequiel Bustillo permitirán agregar más eslabones a la cadena: "En esa carta, de agosto de 1937, le decía: 'Me he decidido a molestarlo respecto a la posibilidad de que usted pueda buscar en Alemania un técnico forestal que estuviese dispuesto a ocupar un cargo en nuestra repartición. Usted sabe que en esta materia nuestro país está todavía en los comienzos y que muy pocas son las personas que se han especializado en esos estudios. En cambio, Alemania es uno de los países que más dominan esas cuestiones y que más preocupación ha demostrado por todo lo que se refiere a la silvicultura y demás problemas forestales'. Desgraciadamente lo exiguo del sueldo que ofrecíamos no nos permitió cristalizar esta iniciativa, a la que Labougle, que era un embajador diligente y de lujo en nuestro cuerpo diplomático, le prestó su mayor apoyo. Conservo de él un recuerdo lleno de simpatía y afecto."

Oculta Ezequiel Bustillo que la carta estaba dirigida finalmente al argentino Ricardo Walter Darré, ministro de Agricultura del Tercer Reich, amigo de Hitler y principal ideólogo de la importancia de la "pureza racial".[28] Sin entrar en las cuestiones técnicas que implica importar

---

28 Aunque la mayoría de los argentinos ignora de quién se trata, el porteño Ricardo Walter Darré, nacido en el barrio de Belgrano, conocido como el *Führer* de los campesinos del Reich, fue el ideólogo de algunas de las teorías más racistas del nazismo. Defendió en varios libros la importancia de la raza basado en sus amplios conocimientos en genética, y colaboró con la instalación de

especies ajenas al hábitat natural, se estaba intentando introducir especies extranjeras con un fin poco claro que pareciera, a todas luces, recrear un ambiente alpino.

Hanna Reitsch llevaba a la reunión del 22 de marzo en La Primavera instrucciones muy precisas: debía obtener de la entonces Comisión de Parque Nacionales, es decir de Bustillo, 100.000 hectáreas en la Patagonia en zona de frontera con Chile para un eventual exilio de Hitler y sus allegados. Lo cierto es que por esos días la interna política alemana ardía, Ernst Röhm y sus poderosas y populares SA habían acumulado mucho poder, tanto como para cuestionar el liderazgo del propio *Führer*. Esa disputa se dirimió al estilo nazi el 29 de junio de 1934 con el asesinato de Röhm y de otros ochenta y nueve dirigentes, un ajuste de cuentas que pasó a la historia con el nombre de "La noche de los cuchillos largos". Por lo tanto, no fue necesario ejecutar el plan confidencial entonces, pero el proyecto no fue abandonado sino que se mantuvo activo y en estricto secreto en manos de Peter Riedel, compañero de Hanna Reitsch en la misión argentina. Como agente de la *Abwher* de Canaris, Riedel

---

la nefasta Oficina de Raza y Reasentamiento de las SS. Después de la guerra este oscuro personaje desapareció de la escena política y su paradero es desconocido hasta la fecha. Posiblemente miembros del establishment de la Argentina lo hayan ocultado por afinidades ideológicas, o bien porque a todas luces resultaba políticamente incorrecto que un argentino hubiera sido ministro de Hitler nada menos que durante nueve años.

se desempeñó como piloto de SCADTA (Avianca), para luego dedicarse al espionaje en los Estados Unidos. Cuando Alemania declaró la guerra a los norteamericanos permaneció detenido en el campo de prisioneros de White Sulphur Springs, en el Estado de Virginia. Canaris ordenó entonces que los documentos del plan fueran entregados a otro integrante de la comisión, Heini Dittmar, que se encontraba por entonces probando junto a Hanna Reitsch el caza cohete Messerschmitt Me 163 Komet: "El Me-163 no tenía tren de aterrizaje, despegaba desde una corredera desprendible y aterrizaba sobre un patín especial, y el impacto de los aterrizajes solía agitar los residuos de los propulsores [peróxido de hidrógeno concentrado e hidracina-metanol] y, al mezclarlos, causaba una violenta explosión. Muchos aparatos se perdieron de esa manera, y el primer piloto de pruebas, el campeón de planeo Heini Dittmar, sufrió graves heridas cuando el patín no llegó a extenderse."[29] Como consecuencia del accidente la documentación con los planes de fuga patagónicos pasaron a manos de Hanna Reitsch. En cuanto los recibió, Adolf Hitler le prohibió que volviera a arriesgarse como piloto de pruebas.

Así, una mujer menuda, valiente y bella fue responsable de la operación secreta más importante del Tercer Reich; la probable fuga de Hitler y su círculo íntimo de Berlín. Como se negó a revelar los detalles de la operación,

29 Tony Wood, y Bill Gunston, *El Tercer Reich*, *La* Luftwaffe *de Hitler*, Madrid, Time-Life/Rombo, 1997.

privó a la humanidad de conocer el destino final de la fuga. Un enigma de difícil solución que cada día, con cada archivo que se abre, con cada nueva investigación, se irá develando hasta que, sin dudas, en algún momento se conocerá la verdad.[30]

30 A propósito, nuevos indicios recabados en los últimos años permiten agregar eslabones a la cadena. En agosto de 2003 el autor de este libro dirigió una expedición a la zona de Viedma-Carmen de Patagones. Había decidido el viaje un correo electrónico recibido el 23 de abril de ese año, firmado por el piloto de Aerolíneas Argentinas Fernando Castillo. El mensaje decía que algunos años atrás, volando la ruta Viedma-San Antonio Oeste, "vi algo que me llamó mucho la atención, era algo parecido a una gran garrafa, lo que inmediatamente relacioné con un submarino o una sección de tal. Mi impresión fue la de estar viendo la popa, que apuntaba al cielo en un ángulo de quizás 30 grados, saliendo de la arena varios metros, 5 metros tal vez, encontrándose a escasos 50 metros de la costa de acantilados, sobre la arena, totalmente fuera del agua (probablemente la marea estaba baja)." Un grupo viajaría en el rompehielos *Ice Lady Patagonia*, otro lo haría en avión y un tercer grupo por tierra, ya que según el piloto la nave se encontraba muy cerca de la costa acantilada. La expedición terrestre quedó conformada por Carlos Piaggio, un especialista en motores diesel, así como en otras cuestiones técnicas que lo llevaron a participar incluso en una misión científica a la Antártida, dos miembros de la productora Cuatrocabezas –que se había sumado al proyecto– y por mí. Los restos encontrados en Bahía Rosas, que desde el aire efectivamente daban la indudable impresión de ser un sumergible, no correspondían a un submarino sino al *Ludovico*, el vapor chileno en el que, en 1916, había huido de Chile Wilhelm Canaris, donde se encontraba internado tras el hundimiento del *Dresden*. No era de todos modos un descubrimiento menor, pero lo más interesante fueron los derivados

Por lo que se sabe hasta el momento puede inferir-
se la posibilidad, muy grande por cierto, de que Hitler

———

de esa expedición. Tras el descubrimiento del *Ludovico* y de las
conversaciones que inevitablemente derivaron en la relación entre
los nazis y la Patagonia, Carlos Piaggio reveló que un submarinis-
ta alemán, de apellido Grin o Grim, había sido testigo en Cañuelas
de una reunión en la estancia La Primavera de la familia Bustillo.
Esto había sucedido, creía, en 1934. Había asistido a la reunión como
persona de confianza de Hitler una "mujer piloto" cuyo nombre
no recordaba, aunque en Buenos Aires conservaba algunos documentos de la reunión, entre ellos hojas sueltas escritas con lápiz.
En una de ellas se leían con claridad dos nombres: Hanna Reitsch
y K. Wirth. Si los datos aportados por Piaggio permitían incorpo-
rar más pruebas a la reunión de Cañuelas, el segundo relato derivado de aquella expedición es más revelador aún. Jorge May, entonces capitán del *Ice Lady Patagonia*, era además coleccionista de
autos, actividad que lo había puesto en contacto con Luis Mc Cormack, uno de los principales coleccionistas del mundo. Mc Cormack
consideraba a los alemanes sus mejores clientes. No sólo por las
operaciones que cerraba con ellos, sino por los datos precisos que
le proporcionaban para encontrar las ansiadas piezas con valor de
colección. Mc Cormack anotaba cada dato minuciosamente para
reconstruir luego los lugares donde buscarlos. Pero una solicitud
recibida de Alemania por parte de un industrial de apellido von Lahousen, en 1987, le había llamado especialmente la atención. Von
Lahousen quería conocer el destino de dos Mercedes Benz 170, y
estaba dispuesto a pagar por ellos una suma nada despreciable:
300.000 dólares. Lo curioso era que se trataba de autos relativamente
comunes, lejos de ser lujosos o piezas importantes de colección.
Los coches tenían sólo un par de detalles fuera de serie. Un dispo-
sitivo mecánico (no hidráulico) destinado a impedir que las ruedas
patinaran en la nieve o el barro, accionando sobre el diferencial, y

huyó, en principio, hacia algún punto alejado de Suecia o Noruega con documentos falsos de la Cruz Roja

---

la posibilidad, quitando los guardabarros, de utilizar ruedas gemelas, ya que poseían llantas especiales. Este sencillo artificio convertía un auto vulgar en un potente 4x4. La carta, firmada por von Lahousen, contenía un relato suficientemente minucioso como para concentrar la búsqueda en la Patagonia. La narración de von Lahousen reconstruye una reunión celebrada en 1940 en la Francia ocupada, más concretamente en una lujosa propiedad parisina incautada a la familia Martínez de Hoz, asunto confirmado por el Ministerio de Relaciones Exteriores. Los principales asistentes a la reunión habrían sido el ministro Darré, el almirante Whilhelm Canaris, los pilotos Alfred Grundke y Hanna Reitsch, entre otros. El propósito, reactivar el plan de exilio para Hitler de 1934 concertado con los Bustillo, 100.000 hectáreas en la frontera con Chile en una zona boscosa, de difícil acceso, que permitiría, en caso de ser descubiertos, una fuga rápida a Chile. Había que decidir de todos modos la forma más segura de transportar a los fugitivos desde Alemania a la Argentina. Reitsch habría dicho, según Lahousen, que lo más apropiado sería un traslado en barcos o en submarinos hasta la Patagonia, y desde la costa un viaje en automóviles hasta el refugio cordillerano, unas cinco o seis horas de viaje. Los presentes conocían bien el sur de la Argentina, por lo cual se discutió entonces que, en caso de que el viaje se realizara en invierno, los autos deberían contar con características especiales para la nieve y el barro. Al mismo tiempo deberían ser poco llamativos, dados los posibles encuentros con habitantes de la zona que debían atravesar, muchos de ellos miembros de la colonia británica. Se eligieron entonces, según este relato, dos Mercedes Benz 170, coches chicos y relativamente comunes, a los que se agregarían los dispositivos especiales. Lo cierto es que en dos meses Mc Cormack encontró los autos. Los compró por monedas a un ex capataz de las estancias sueca otorgados por el conde Folke-Bernadotte, en el marco de la Operación Sunrise.[31]

Por su parte, el plan de fuga Bustillo-Reitsch de 1934 abre un interrogante serio sobre la llegada a la Patagonia

———

Lahousen. Ya en la Argentina, von Lahousen inspeccionó las piezas y en un par de horas sabía que eran auténticas. Mientras festejaban la operación en un restaurante de la costanera, von Lahousen espetó a Luis Mc Cormack que el almirante Canaris no había muerto en Flössburg, como dice la versión oficial, sino que vivía en la Argentina. Había participado de *Sunrise* junto a su tío, el espía von Lahousen.

Copia de la carta de von Lahousen en el archivo personal del autor.

31 El capitán (SS) Erich Priebke es el mejor ejemplo del uso de estos documentos alegremente otorgados para la huida de criminales. Luego de la rendición de los ejércitos nazis que ocupaban Italia, Priebcke fue enviado al campo de concentración de prisioneros alemanes situado en Afragola –campo de prisioneros N° 209, Italia–. Allí aceptó sin ambages haber asesinado a dos personas del total de 335 italianos masacrados en las Fosas Ardeatinas. Relató además cómo, dónde y quiénes habían participado de la matanza: dentro de una cueva oscura las víctimas debían arrodillarse sobre los cuerpos aún calientes de quienes los habían precedido, para recibir un tiro en la nuca. Pese a todo Priebcke escapó hacia la Argentina con un pasaporte de la Cruz Roja. La firma de Priebcke en el documento incriminatorio está refrendada por el OSM K. L. Wiles de la sección 60 del Brazo Investigativo de la CM Police. Priebcke hablaba correctamente tres idiomas –alemán, inglés e italiano–, lo cual le había permitido oficiar de traductor entre las máximas autoridades del Vaticano, la Cruz Roja Internacional, los Aliados y la máxima jerarquía de las SS mientras se pactaba la organización incesante de la fuga de nazis, que al final incluyó la del propio Priebcke. En

de miembros de la cúpula del nazismo. Si los Mercedes Benz encontrados en la Patagonia fueron o no usados para transportar fugitivos, o bien quiénes habrían viajado en ellos, o a dónde, seguirá siendo, por ahora, materia de hipótesis y controversia. Al respecto debe profundizarse la investigación sobre la llegada de submarinos alemanes a las costas patagónicas en 1945. La protección que tanto los Estados Unidos de Norteamérica como el Reino Unido han impuesto a los archivos secretos de las operaciones Sunrise y Ultramar Sur permiten suponer que no se trata de cuestiones menores.[32]

Cuando se consiga que la Cruz Roja sueca publique los verdaderos nombres de los personajes que recibieron pases y pasaportes se habrá avanzado considerablemente en la búsqueda de la verdad. Las andanzas de Folke-Bernadotte plantean un nuevo enigma: ¿el grupo extremista que asesinó a Bernadotte en Palestina, en 1948, lo hizo por el plan de paz presentado por el conde, o por intercambiar a Hitler por prisioneros escandinavos?

----

principio fue absuelto de las acusaciones que sobre él pesaban sobre su participación en la masacre de las Fosas Ardeatinas, pero la indignación de los familiares de las víctimas obligó a la sustanciación de un nuevo juicio que finalmente lo declaró culpable. Debe señalarse de todos modos una "curiosidad": los nazis capturados en la Argentina nunca superaron la jerarquía del teniente coronel, como el particularmente cruel SS Adolf Eichmann, encargado de la Sección Asuntos Judíos de la organización de Himmler, responsable de la ejecución masiva de judíos.

32 Véase Salinas y De Nápoli, ob.cit.

En cualquier caso, por respeto a la verdad debe decirse que cuando el campo de Auschwitz fue liberado, el 27 de enero de 1945, la República Argentina aún no había declarado la guerra al Tercer Reich. Mientras los espectros tambaleantes que habían sobrevivido a torturas, vejaciones y mil privaciones salían del campo de Auschwitz-Birkenau, sus victimarios y verdugos entraban clandestinos a la Argentina –en submarinos o barcos, con ayuda del Reich, el Vaticano, los Aliados o la Cruz Roja, poco importa–, el país que los recibió con los brazos abiertos y les otorgó protección, prebendas y prerrogativas.

Bibliografía

Alemann, Roberto T., "Los alemanes en la Argentina", en *Todo es Historia*, nº 413, diciembre de 2001.

Angelucci, E., *The Rand Mc Nally Encyclopedia of Military Aircraft 1914-1980*, Nueva York, The Military Press, 1981.

Bamford, James, *The Puzzle Palace: A Report on America's Most Secret Agency*, Boston, Harmondsworth, 1983.

Berguño Barnes, Jorge, "Operatividad del Sistema Antártico", en Primer seminario Nacional sobre la Antártica 1986, Chile, Ministerio de Relaciones Exteriores, 1986.

_____, "Historia intelectual del Tratado Antártico", en *Boletín Antártico Chileno*, vol. 19, nº 1, Santiago de Chile, 1986.

Beschloss, Michael, *The Conquerors: Roosevelt, Truman and the Destruction of Hitler's Germany 1941-1945*, Nueva York, Simon & Schuster, 2002.

Biedma, A., "Aquí entre nosotros, sólo quedó el desaliento", en *Revista nacional Aeronáutica y Espacial*, Buenos Aires, junio de 1962.

Bousquet, Augusto V., *La aeroposta argentina y el correo aéreo*, Buenos Aires, Sociedad Argentina de Aerofilatelia, 1992.

Bracher, Karl, *La dictadura alemana. Génesis, estructura y consecuencias del nacionalsocialismo*, Madrid, Alianza, 1973.

Brandt, Karl, "Whale Oil: An Economic Analisys", en *Fats and Oils Studies*, nº 7, Food Research Institute, Stanford University, California, junio de 1940.

Brekke, A., *Norway in the Antarctic*, Oslo, Norwegian Polar Institute, 1993.

Brian, R., "Antartic Whaling 1938-39", en *Polar Record*, vol. 18, diciembre de 1939.

Bustillo, Ezequiel, *El despertar de Bariloche*, Buenos Aires, Sudamericana, 1999.

Byrnes, James, *Speaking Frankly*, Nueva York, Harper and Brothers, 1947.

Camarasa, Jorge, *Los nazis en la Argentina*, Buenos Aires, Legasa, 1992.

_____, *La enviada*, Buenos Aires, Planeta, 1998.

_____, *La última noche de Juan Duarte*, Buenos Aires, Editorial Sudamericana, 2003.

Caminoa de Heinken, Isabel, *Pioneros de la costa del Chubut*, Trelew, edición de autor, 2001.

Carrasco Solis, M., *Historia del LAB*, Bolivia, Editorial Aero Boliviano, 1985.

Chaitkin, Anton, "Treason in America, From Aaron Burr to Averell Harriman", en *Executive Intelligence Review*, Washington, 1998.

Churchill, Winston, *La Segunda Guerra Mundial*, tomo I, "Se cierne la tormenta", Buenos Aires, Editorial Peuser, 1958.

Clark, Toby, *Arte y propaganda en el siglo XX*, Madrid, Ediciones Akal, 1997.

De la Sierra, Luis, *Corsarios alemanes en la Segunda Guerra Mundial*, Barcelona, Editorial Juventud, 1976.

De Nápoli, Carlos y Juan Salinas, *Ultramar Sur*, Buenos Aires, Grupo Editorial Norma, 2002.

Dönitz, Karl, *Diez años y veinte días,* Barcelona, Luis de Caralt, 1959.

Dumrauf, Clemente, *Historia del Chubut,* Buenos Aires, Plus Ultra, 1992.

DuBois, Josiah E. Jr., *The Devil's Chemists, 24 Conspirators of the International Farben Cartel who Manufacture Wars,* Boston, The Beacon Press, 1952.

Dulles, Allen, *The Secret Surrender,* Londres, Weidenfeld & Nicholson, 1967.

Dulles, John Foster y Hjalmar Schacht, "The Young Plan in Relation to World Economy", en Foreign Policy Association, Nueva York, 1930.

Fentanes, Manuel, "Los cincuenta años del Club de Planeadores Cóndor", en Revista *Aerospacio,* Buenos Aires, enero de 1985.

Ferrari, Gustavo, *Esquema de la política exterior argentina,* Buenos Aires, EUDEBA, 1981.

Fischer, K., *Nazi Germany. A New History,* Londres, 1995.

Fitte, Ernesto, *La disputa con Gran Bretaña por las Islas del Atlántico Sur,* Buenos Aires, Emecé, 1968.

Fitte, Ernesto Juan, *Crónicas del Atlántico Sur,* Buenos Aires, Depalma, 1973.

_____, *Escalada a la Antártida,* Buenos Aires, Depalma, 1973.

Folke-Bernadotte, *El final,* Buenos Aires, Emecé, 1945.

Folkers, Johann Ulrich, *Geopolitische Geschichstlehre und Volksersiehung,* Berlín, Kurt Vowinckel, 1939.

Ford, B., *Armas secretas alemanas. Prólogo a la astronáutica,* Madrid, Editorial San Martín, 1975.

Geli, Patricio, "El debate historiográfico en torno al 'factor Hitler' entre los 60 y los 90", en María Victoria

Grillo, *Tradicionalismo y fascismo europeo*, Buenos Aires, EUDEBA, 1999.

Gellermann, Günther W., *Der Andere Auftrag. Agenteneinsätze deutscher U-Boote im Zeiten Weltkrieg*, Bonn, Bernard & Graefe, 1995.

Goñi, Uki, *Perón y los alemanes*, Buenos Aires, Sudamericana, 1998.

Grillo, María Victoria, *Tradicionalismo y fascismo europeo*, Buenos Aires, EUDEBA, 1999.

Gröner, Erich, *Die Deutschen Kriegsschiffe 1815-1945*, Berlín, Bernard & Graefe, 1993.

Gutiérrez, Ramón, Liliana Lolich, Hugo Beck, Graciela Viñuales y Luis Müller, *Hábitat e inmigración. Nordeste y Patagonia*, Buenos Aires, Ediciones CEDOAL-Instituto de Investigaciones Geohistóricas, CONICET, 1998.

Helfritz, Hans, *Im Land der Weissen Cordillera*, Berlín, Safari Verlag, 1952.

Hewins, Ralph, *Count Folke Bernadotte: His Life and Work*, Londres, 1950.

Higham, Charles, *Trading With the Enemy: An Expose of the Nazi-American Money Plot 1933-1949*, Nueva York, Delacorte Press, 1983.

Hildebrand, Klaus, *El Tercer Reich*, Oldenbourg Verlag, 2003.

Hosne, Roberto, *En los Andes*, Buenos Aires, Planeta, 2000.

Jäckel, Eberhard, *Hitler idéologue*, París, Gallimard, 1973.

Kershaw, Ian, *The "Hitler myth". Image and reality in the Third Reich*, Londres, Oxford, 1987.

Kissinger, Henry, *La diplomacia*, México, FCE, 1996.

Lanús, Juan Archibaldo, *De Chapultepec al Beagle*, Buenos Aires, Emecé, 1984.

Lemmél, Hanns, *Deutschlands Interessen am Walfang*, Seifensieder-Zeitung, 1934.

Luro Cambaceres, Rufino, "Aporte al historial de la aviación comercial argentina", en *Revista Nacional Aeronáutica y Espacial*, Buenos Aires, julio de 1963.

Mallmann, K. M. y G. Paul, "Omniscient, Omnipotent, Omnipresent? Gestapo, Society and Resistance", en D. Crew, *Nazism and German Society*, 1933-1945, Londres, 1995.

Mommsen, Hans, "Nacional Socialism: Continuity and Change", en Walter Laqueur, *Fascism, a Reader's Guide*, Harmondsworth, Penguin, 1976.

Moreno, Carlos, *Patagonia punto crítico*, documento accesible en la biblioteca del Museo del Fin del Mundo de Ushuaia.

Müller, Rüdolf, *Graf Spee, del astillero a Punta del Este*, Buenos Aires, Enrique Signoris Editor, 1954.

Newton, Ronald C., *El cuarto lado del Triángulo*, Buenos Aires, Sudamericana, 1995.

Orellana Vargas, I., *El LAB y sus 45 años de vigencia*, Cochabamba, Editorial Serrano, 1970.

Palaz, R. O., *Alas sobre el sexto continente*, Buenos Aires, Dunken, 1999.

Palazzi, R., *La aventura de volar*, Buenos Aires, Colección historia aeroespacial, 2003.

Parker, María Teresa, *Tras la estela del Dresden*, Santiago de Chile, Editorial Tusitala, 1995.

Paz Soldán, A., *Conducción de la Fuerza Aérea Boliviana en la Guerra del Chaco*, La Paz, Editorial Aeronáutica, 1990.

Piekalkiewicz, Janus, *Secret Agents, Spies, and Saboteurs*, Londres, William Murrow & Co., 1973.

Pitt, Barrie, *La Segunda Guerra Mundial*, Barcelona, Ediciones Folio, 1995.

Potash, Robert A., *The Army & the Politics in Argentina 1928-1945. Yrigoyen to Perón*, California, Stanford University Press, 1969.

Potenze, Pablo L., *Catálogo histórico del transporte aéreo argentino*, Buenos Aires, 1988.

_____, *Historia del transporte aerocomercial*, Buenos Aires, ALADE-UADE, 1997.

Price, Alfred, *Luftwaffe*, Madrid, Editorial San Martín, 1980.

Prieto, César, "El Partido Nacional Socialista Alemán en la Argentina", en *Todo es historia*, n° 148, septiembre de 1979.

Puig, Juan Carlos, *La Antártida Argentina ante el derecho*, Buenos Aires, Depalma, 1960.

Quevedo Paiva, A., *Antártida: pasado, presente, ¿futuro?*, Buenos Aires, Círculo Militar, 1987.

Reitsch, Hanna, *Fliegen-Mein Leben*, Frankfurt/Berlín, Ullstein, 1996.

Ritscher, Alfred, *Deutsche Antarktische Expedition 1938/39*, Leipzig, Koehler & Amelang, 1942.

Rizutto, Antonio F., *Diccionario biográfico contemporáneo. Personalidades de la Argentina*, Buenos Aires, Veritas, 1948.

Robertson, S., *Operation Tabarin*, Londres, Cambridge, 1993.

Saint Sauveur-Henn, Anne de, Tesis Doctoral, Universidad de la Sorbona, París, 1995.

Sarholz, Werner, "Schon 1934 erste Deutsche Walfang AG in Wesermünde Gegründet", en *Niederdt Heimatblatt*, n° 520, abril de 1993.

Schäffer, Heinz, *El secreto del U-977*, Buenos Aires, Edición especial para la Biblioteca del Oficial de Marina, 1955.

Schäffer, Heinz, *Geheimnis um U-977,* Buenos Aires, Editorial Prometheus, 1950.

Sherwood, Robert E., *Roosevelt y Harry Hopkins, una historia íntima. La eminencia gris de la Casa Blanca*, Barcelona, Los libros de Nuestro Tiempo, 1950.

Schlichter, A. J. y J. R. Spinetto, *Historia postal de la tripulación del acorazado* Admiral Graf Spee, Buenos Aires, Histpost Ediciones, 1989.

Schubert, Kurt, "Der Walfang der Gegenwart", en *Handbuch der Seefischerei Nordeuropas*, en G. Meseck y J. Lundbeck (comps.), Stuttgart, Schweizerbartsche, 1955.

Steinert, Marlis, *Hitler*, Buenos Aires, Javier Vergara Editor, 1996.

Toledo de la Maza, C., "El notable viaje del submarino *Simpson* a la Antártida Chilena", en *Boletín Antártico Chileno*, vol. 18, n° 2, noviembre 1999.

Tønnessen, Joh y Arne Odd Johnsen, *The History of Modern Whaling*, London, C. Hurst & Co. Ltd. y Canberra, Australian National University Press, 1982.

Trevor-Roper, Hugh, *Hitlers Letzge Tage*, Zurich, Verlag Amstutz, Herdeg & Co., 1948.

Vedoya, Juan Carlos, "La captura del *Presidente Mitre*", en *Todo es Historia*, n° 135, agosto de 1978.

Von Oven, Wilfred, *Quién era Göbbels*, Buenos Aires, Editorial Revisión, 1988.

Weber, M., *Economía y sociedad*, México, FCE, 1979.

Willoughby, M., *The U.S. Coast Guard in World War II*, Maryland, Naval Institute Press, Annapolis, 1989.

Winterhoff, Edmund, *Walfang in der Antarktis*, Oldenburg, Hamburgo, Editorial Gerhard Stalling, 1974.

Wood, Tony y Bill Gunston, *El Tercer Reich, la Luftwaffe de Hitler*, Madrid, Time-Life/Rombo, 1997.

Zago, Manrique, *Presencia alemana en la Argentina*, Buenos Aires, Manrique Zago Ediciones, 1992.

Publicaciones

Boletín Antártico Chileno.
Diario *La Nación.*
Revista *Nautilus.*
Revista *Aerospacio.*
Revista Argentina Austral.
Revista de Marina, Santiago de Chile.
Revista Nacional Aeronáutica y Espacial, Buenos Aires.
Revista Nacional de Aeronáutica, Buenos Aires.
Revista *National Geographic.*
Revista *Todo es historia.*

Fuentes institucionales

Alfred Wegener Institut für Polar und Meeresforschung, Bremerhaven, Alemania.

Biblioteca del Congreso de la Nación Argentina, Buenos Aires.

Biblioteca del Oficial de Marina, Buenos Aires.

Biblioteca Nacional de Aeronáutica, Buenos Aires.

Biblioteca Nacional, Buenos Aires.

Bibliothek für Zeitgeschichte, Stuttgart, Alemania.

BMW AG Historisches Archiv, Munich, Alemania.

Britisch Antarctic Survey Archives, Cambridge, Reino Unido.

Bundesamt für Kartographie und Geodäsie, Frankfurt am Main, Alemania.